SIGNÉ DUMAS

Couverture : © Photographie de Pascal Chantier / Film oblige
Graphisme : Millefeuille

www.lesimpressionsnouvelles.com

Cyril Gely - Eric Rouquette

SIGNÉ DUMAS

Préface de Gilles Taurand

LES IMPRESSIONS NOUVELLES

Cyril Gely a d'abord étudié le commerce et l'ingénierie financière, avant d'intégrer l'école de la Rue Blanche, section comédien. Il a publié deux romans : *La traversée* aux Éditions Franck Splengler, et *Le cercle de pierre* aux Éditions Anne Carrière.

Après avoir suivi une formation à l'École Supérieure d'Art Dramatique de la Ville de Paris, Eric Rouquette a mis en scène plusieurs spectacles. Il est l'auteur de *On solde !*, créée en 2000 au Théâtre Daunou, et de *Une nuit au poste*, créée en Avignon et reprise en 2007 au Théâtre Mouffetard, publiée aux Éditions l'Oeil du Prince.

Ensemble, ils ont également écrit *La Véranda*, créée en 2008 au théâtre La Bruyère et publiée aux Éditions l'Oeil du Prince.

Préface

Je connais beaucoup de gens de cinéma qui n'aiment pas le théâtre. Ils s'y sentent à l'étroit. Est-ce donc parce que l'auteur de la pièce y prend trop de place ? C'est probable. Il est vrai qu'au cinéma la destinée d'un scénario, c'est de se transformer en images. Un scénariste se doit d'écrire dans cette *optique,* celle du film à venir que signera le réalisateur. C'est la règle du jeu, à prendre ou à laisser.

Un jour, deux producteurs que je connaissais bien, Frank Le Wita et Marc de Bayser m'ont emmené voir *Signé Dumas*, la pièce de Cyril Gely et d'Eric Rouquette que j'ai découverte avec bonheur : cet Auguste Maquet qui se cherche désespérément un nom dans le sillage d'une gloire nationale, ce nègre dévoué, ce moine copiste qui trie les brouillons du maître, rafistole, suggère, défriche, ce familier de l'ombre, ressemble à s'y méprendre au scénariste de cinéma ou de télévision. En ce sens *Signé Dumas* est une tragi-comédie d'une incontestable modernité. On a dit d'Alexandre Dumas qu'il voulait le génie sans la solitude. Il en est ainsi de nombreux réalisateurs de cinéma, et on peut les comprendre, qui ont besoin de *l'autre*, de son regard, de ses idées, pour accoucher de leur projet.

À mes yeux, le « bon scénariste » (on pense au bon samaritain) demeure celui qui sait tenir sa place, une place paradoxalement intenable.
Mais que se passe-t-il quand *l'autre*, le tâcheron indispensable, se révolte et se met à rêver de devenir à son tour une gloire nationale ?

Tel est le point de départ de *L'Autre Dumas*, le scénario adapté de la pièce de Cyril Gely et d'Eric Rouquette que j'ai écrit avec Safy Nebbou, un jeune réalisateur exigeant et inspiré dont j'affirme qu'il ne s'est pas pris pour Alexandre Dumas !

Plus que jamais à notre époque, la question du nom et de l'identité, sont à l'ordre du jour avec comme conséquence fatale la nécessaire promotion de l'ego. Dans notre société du spectacle, le théâtre au quotidien, c'est le plateau de télévision. Auguste Maquet, avec des trémolos indignés, serait peut-être venu dire à Laurent Ruquier que le véritable auteur des *Trois Mousquetaires*, c'est lui ! J'ai beaucoup d'affection pour ce personnage émouvant et pathétique. La vérité, c'est que Dumas et son nègre ne pouvaient pas se passer l'un de l'autre. C'est un couple infernal qui oscille constamment entre la haine et l'amour. Si Maquet fait défaut, Dumas sombre dans la dépression. Il se sent tout à coup impuissant et, comme disent les psychanalystes, quand la puissance défaille, c'est la porte ouverte au délire de toute-puissance ! Dans notre adaptation cinématographique, les témoins et les victimes de ce psychodrame de la création, ce sont les femmes, les amoureuses qui ont elles aussi bien raison de se poser la question de leur place. Personnages de pure fiction ou compagnes historiques de Dumas, leur regard nous a semblé indispensable, c'est d'une certaine manière celui du spectateur.

Plus qu'une source d'inspiration, *Signé Dumas*, la pièce drôle et cruelle de Cyril Gely et d'Eric Rouquette m'aura servi de révélateur et je les en remercie.

Gilles Taurand,
co-scénariste de « L'Autre Dumas »

La pièce *Signé Dumas* a été représentée pour la première fois
le 16 juin 2003 lors du Festival d'Anjou,
puis créée le 12 septembre 2003
au Théâtre Marigny-Robert Hossein, Salle Popesco

Mise en scène : Jean-Luc Tardieu
Avec
Alexandre Dumas : Francis Perrin
Auguste Maquet : Thierry Frémont
Mulot : Maxime Lombard

Thierry Frémont a reçu un Molière du comédien
dans un second rôle.
Cyril Gely et Eric Rouquette
ont reçu le Grand Prix Jeune Théâtre de l'Académie française.

Une voiture passe en trombe sur la route caillouteuse qui transperce la forêt de Marly en direction de la capitale. Il est à peine 15 heures ce jeudi 24 février 1848, et voilà déjà plusieurs fois que Michel, le jardinier du domaine de Monte-Cristo, relève la tête au fracas des attelages et autres claquements de fouet des cochers. Un trafic inhabituel en cet endroit paisible et reculé de tout.

Le ciel est d'un bleu éclatant mais le froid vous prend encore aux tripes.

Michel pousse sa brouette et passe devant le château, une demeure baroque à deux étages dont les façades sont sculptées de motifs floraux et d'animaux étranges. Des ouvriers perchés sur le toit finissent d'assembler les gouttières. Notre jardinier continue à travers le parc, longe une rangée de tilleuls, contourne un bassin, et vient s'arrêter sous les fenêtres d'un petit pavillon néo-gothique pour bêcher tout autour du pont-levis une parcelle infestée de vilaines herbes.

On peut laisser le brave homme à sa tâche et en amateur de curiosités architecturales s'intéresser de plus près à ce pavillon dont la toiture abrupte évoquerait presque une église miniature.

Avant de pousser la porte, une pierre attire l'attention. Là est gravé le nom de l'édifice : « le Château d'If ». L'endroit n'a pourtant rien à voir avec l'austère forteresse plantée à quelques brassées du port de Marseille. En entrant on tombe sur un étroit escalier en colimaçon. Les marches craquent sous le bois jeune et, une fois parvenu en haut, on découvre une pièce de taille modeste, bien éclairée. Une première fenêtre donne sur le château et son parc, et la seconde sur l'arrière du domaine, débordant de broussailles et de plantes sauvages.

On remarque aussitôt près de l'entrée une solide bibliothèque où figurent au milieu de gros dictionnaires les œuvres complètes d'Alexandre Dumas. Ce n'est pas un hasard, car nous sommes là dans le cabinet de travail du grand écrivain.

Ça sent la peinture fraîche. Et si l'on tourne les yeux vers le parc, voici en enfilade un lavabo en porcelaine vitrifiée, un paravent chinois et, plus inattendue, une console en acajou sur laquelle Dumas, ce bon vivant notoire, se fait livrer chaque jour les victuailles destinées à nourrir son inspiration.

Mais ce cabinet de travail n'en serait pas un s'il n'y avait cet imposant bureau avec tout le nécessaire à la production des œuvres littéraires : encriers, plumes, chandeliers, et naturellement de nombreux feuillets classés en tas. Une lampe à huile des plus modernes éclaire l'écritoire. Tout autour les murs sont habillés de grandes tentures bleues. Et le visiteur virtuel aura une vue tout à fait conforme quand il aura noté que çà et là reposent des statues orientales, des animaux empaillés, et qu'un majestueux coffre de style médiéval trône auprès de la cheminée Renaissance.

Tout à fait conforme ? Non, pas encore.

Car il manque à ce tableau un détail qui a son importance. Assis derrière le bureau se trouve un homme – et cet homme n'est pas Dumas.

Il est au contraire de lui assez maigre, voire un peu pâle, et sous ses lunettes arbore une fine moustache à la mousquetaire. On pourrait croire que c'est un aristocrate tant il est élégant et soigneux de sa personne.

Cet homme, qui de toute évidence fait partie des meubles, c'est Auguste Maquet, le collaborateur d'Alexandre Dumas. Ensemble, en une dizaine d'années, ils ont écrit les romans dont la popularité a franchi les frontières : *Le Comte de Monte-Cristo*, *Les Trois Mousquetaires*, *La Reine Margot*, etc...

Alors que la bêche du jardinier marque le tempo de ses coups sourds et réguliers, Maquet est seul et travaille sur le *Vicomte de Bragelonne*, troisième et dernier volet des *Mousquetaires*, ainsi que sur l'adaptation de *Monte-Cristo* que Dumas souhaite présenter dans son *Théâtre Historique*.

Le nez plongé dans les feuillets, il annote de temps à autre une remarque, réfléchit, se déplace jusqu'à la bibliothèque pour y consulter une encyclopédie, tournant les pages d'une gestuelle un peu maniaque. C'est à peine s'il est troublé par les sabots des chevaux qui passent pourtant juste dans son dos. Il se retourne et jette à la fenêtre un œil absent, puis revient lentement se caler dans son fauteuil et se remet au travail.

Il trempe sa plume dans l'encrier et ses mains courent aussitôt sur le papier, inondant les pages d'une écriture serrée et hachée.

Maquet ne marque aucune hésitation. Les mots s'enchaînent les uns après les autres, sans rature. Un point achève une phrase et immédiatement la plume se transporte dans l'encrier pour revenir embrasser la feuille et reprendre son rythme frénétique.

Et c'est un ballet curieux de feuillets qui se noircissent, puis viennent grossir dans une mécanique parfaite un tas déjà bien conséquent situé à droite de l'écrivain, tandis que celui de gauche, celui des pages blanches, fond comme neige au soleil.

Maquet est tout à son ouvrage et rien ne peut l'en distraire. Il ne prête du reste aucune attention aux pas lourds qui montent l'escalier. Au contraire, sa plume s'accélère encore comme s'il voulait gagner du temps, quelques précieuses secondes de solitude.

Car c'est bien Dumas qui arrive. Soufflant, suffocant, reniflant, le voilà qui se fige sur le seuil, massif, avec une belle épaisseur de feuillets sous les bras.

DUMAS : Oh ! Ça pue ici. Ouvrez-moi cette fenêtre !

Maquet retient sa plume.

Il n'a pas le temps de s'interposer que Dumas déjà l'a précédé.

MAQUET : Si vous pouviez l'entrebâiller seulement...

DUMAS : Vous rigolez, on étouffe !

Il ouvre la fenêtre en grand et respire l'air à pleins poumons.

Résigné, Maquet se lève et va jusqu'au portemanteau couvrir ses épaules d'une gabardine en poil de lapin.

DUMAS : Vous n'allez pas me dire que vous avez froid ?

MAQUET : C'est que...

DUMAS : Si vous avez froid, appelez au château qu'on vienne vous faire du feu. J'ai quinze domestiques qui se tournent les pouces.

MAQUET : Ça ira.

Tassé dans sa gabardine, il regagne sa place, ajuste ses lunettes et reprend la plume entre ses doigts effilés.

Dumas l'observe du coin de l'œil. Il est d'humeur joviale aujourd'hui. Vêtu de blanc comme toujours, il porte une veste de velours par-dessus un de ses fameux gilets multicolores. Les cheveux ébouriffés et parsemés de quelques brindilles de paille, il fait tinter sa multitude de chaînes, de bagues, de breloques et de décorations.

Le voilà qui vient se camper devant le bureau, l'air un tantinet inquisiteur.

DUMAS : Ça avance ?
MAQUET : Oui, oui. J'en ai pour une minute.
DUMAS : Je vous attends !

Dumas en profite pour se mettre à l'aise. Il retire sa veste, son gilet, s'installe sur son siège à roulettes et commence à se déchausser, sans se préoccuper le moins du monde de la gêne que pourraient occasionner tous ces mouvements pour Maquet. Il laisse tomber une chaussure sur le plancher, puis l'autre, se masse les pieds en poussant des glapissements d'extase. Soudain il lève les bras en l'air.

DUMAS : Ah ! Elle m'a ramené des rillettes !

Il fait joyeusement rouler le siège jusqu'à la console et ouvre le pot comme s'il s'agissait du couvercle d'un écrin. Il hume en connaisseur, éructant de plaisir, tandis que ses yeux continuent d'explorer la console.

DUMAS : Où sont les cornichons ? Ah !

Hop ! Il en avale deux d'un coup, se tranche une bonne miche de pain, et se confectionne à la va-vite une tartine dégoulinante de rillettes. Il en engloutit la moitié et mastique bruyamment.

Maquet n'a pas levé la tête de ses feuillets.

C'est la bouche bien pleine que Dumas l'interpelle.

DUMAS : Mon jardinier est arrivé.

MAQUET : Hum...

DUMAS : Je le quitte à l'instant.

MAQUET : Je l'ai vu aussi. Il a passé l'après-midi sous les fenêtres.

DUMAS : C'est le meilleur du canton. D'ailleurs, si vous en avez besoin pour votre bout de terrain, ne vous gênez pas, Maquet.

MAQUET : Merci bien.

DUMAS : Vous verrez, il est phénoménal. Vous ne pourrez plus vous passer de lui. Il connaît le nom latin de chaque plante, de chaque insecte, de chaque arbre... C'est un grand savant, vous n'y couperez pas ! Tenez, Maquet, une question. If, par exemple. Vous savez comment on dit « if » en latin ?

Maquet le regarde enfin. Il aimerait bien travailler, mais impossible d'échapper au bavardage du grand homme...

MAQUET : Pas le moins du monde.

DUMAS : Vous savez bien le latin, Maquet ?

MAQUET : Pas celui-là, non.

DUMAS : Eh ! eh ! eh ! J'en étais sûr. Alors écoutez bien. « If », en latin, c'est *Taxus baccata*. Ta-xus ba-cca-ta.

MAQUET : Oui.

DUMAS : Dites-le un peu.

MAQUET : Pardon ?

DUMAS : Oui. Dites-le que je l'entende encore...

MAQUET : Taxus... euh...

DUMAS : ... Baccata.

MAQUET : Taxus baccata.

DUMAS : Eh bien on voit que vous n'êtes pas jardinier, mon vieux ! Ta-xus ba-cca-ta. Quelle musique ! Voilà ce qu'on apprend de la bouche d'un paysan.

Les chaussures lacées, il se dresse, repu, faisant de grands moulinets avec les bras. Il est dans une forme triomphale. La moustache frétillante, il faut le voir se lancer dans un va-et-vient d'une fenêtre à l'autre, assénant au passage de grandes bourrades à Maquet.

DUMAS : Rendez-vous compte. Nous sommes au château de Taxus baccata. C'est pas beau, ça ?

MAQUET : Effectivement.

Dumas : Et ce n'est pas tout, Maquet. Il déborde d'imagination. À propos de ce château justement. Tout un programme. Écoutez bien, c'est génial... On était là, devant, on parlait nature. Et je lui demande en montrant la façade si ce n'est pas possible de la camoufler. Eh bien, je n'avais pas fini ma phrase qu'aussitôt il me propose, écoutez bien surtout, d'un côté une enceinte pour nous séparer de la route, et de l'autre une forêt de bouleaux pour nous isoler de la propriété. C'est un visionnaire, cet homme-là. Hein ?

Maquet : Oui. Mais ça coûtera cher.

Dumas : Ça coûtera ce que ça coûtera. De toute façon, il me faut une forteresse. Je veux la paix, Maquet, la vraie. Le silence. Et tenez-vous bien je vais faire encore mieux. Je vais creuser des douves tout autour d'ici, et dresser un pont jusqu'à la porte. Une garantie contre les raseurs ! Voilà qui va m'assurer le calme absolu !

Voyant que pour l'heure Dumas a troqué son métier d'écrivain pour celui de chef de chantier, Maquet se résout de bonne grâce à laisser sa plume au repos.

Il se lève, va se laver les mains au lavabo, et tantôt se fend d'un regard approbateur à Dumas qui continue de tournoyer et gesticuler autour de lui.

Dumas : Croyez-moi ! Ça fait un paquet de temps que je rêve de ça ! Je l'ai enfin, mon cabinet de travail. Et vous allez voir, Maquet ! On va en faire, de grandes choses ! Hein ? Et puis avec un décor pareil... Regardez ! Je vais d'abord faire débroussailler de ce côté. La vue sera superbe. On va dominer toute la région. Et là, Monte-Cristo. Venez voir ! Il y a six mois, il n'y avait rien ici. Et regardez maintenant. Le château est presque terminé... Venez voir, je vous dis !

Maquet obéit, certes en traînant des pieds, et s'emmitouflant autant qu'il peut dans sa gabardine.

D'une poussée pleine d'enthousiasme, Dumas le propulse jusqu'à la fenêtre.

Dumas : Les pavillons sont posés, la grille sera dressée le mois prochain. Demain on place les girouettes sur la toiture, vite fait bien fait. Et puis regardez, tout autour. Fermez les yeux un moment et imaginez. Imaginez une frise de génies : les têtes d'Homère, Sophocle, Shakespeare et Goethe...

Maquet : Très bien.

Dumas : Tous les grands : Byron, Hugo...

Maquet : Et vous.

Dumas : Et moi, évidemment : au-dessus du perron. Et juste en dessous, ma devise : « J'aime qui m'aime ».

MAQUET : Parfait.

Il met alors à profit ce moment de rêverie pour rejoindre en catimini son bureau.

DUMAS : Et tenez, dans ce coin-là on va planter des saules. Et à côté des hortensias. Maquet ? Où êtes-vous ? Qu'est-ce que vous faites ? Revenez ici, on a bien cinq minutes.

D'une enjambée il va littéralement décoller Maquet de son fauteuil et s'agrippe à son bras pour que ce récalcitrant ne s'échappe plus.

DUMAS : Regardez ! Là-bas, on aura du géranium. Et ce n'est qu'un début. Je vais faire venir une cargaison de baobabs... D'Afrique... Et sur toute l'étendue du domaine, une mosaïque de bassins, un labyrinthe de jets d'eau... J'ai même la place de faire une serre. Derrière le château. La plus grande du monde. Et je vais y mettre des choses... Les meilleurs botanistes n'auront plus qu'à fermer boutique. Ah ! Ce sera royal ici, au printemps. Royal. Oh ! Vous savez ce qu'on va faire ?

MAQUET : Non, pas encore.

DUMAS : Dès que la pelouse est verte, je mets sur pied un grand pique-nique. J'invite tout Paris et je donne une représentation nocturne du *Monte-Cristo*, en plein air, à la lueur des lanternes. Oh, tiens, je vois ça d'ici... Les scènes de prison : au pied des douves... Devant les grottes : le débarquement sur l'île. Noir absolu. On apercevra juste l'ombre d'Edmond Dantès. Et puis là-bas, près des communs, on plante le décor de l'auberge Caderousse. Et le clou du spectacle, Maquet, écoutez bien : on fait jouer toute la période parisienne dans le château.

MAQUET : Ce n'est pas un peu ambitieux ?

DUMAS : Pourquoi ?

MAQUET : On n'aura jamais assez d'une nuit.

DUMAS : Eh bien ? Je garde mes invités une semaine s'il le faut. Je les balade d'un lieu à l'autre, suivant les actes, avec des pauses buffet. Et on leur joue l'Intégrale. On peut même utiliser le balcon pour les adieux. Final grandiose. Du jamais vu... Imaginez la supplique de Mercédès dans le salon Marocain ! Vous connaissez mon salon Marocain ?

MAQUET : Quel salon Marocain ?

DUMAS : Quoi, vous n'êtes pas allé le voir ?

MAQUET : Non.

DUMAS : Qu'est-ce que vous attendez ? Il faut donc se mettre à genoux pour que vous sortiez la tête de ce cabinet ? Vous savez bien que vous êtes chez vous !

MAQUET : Je n'ai pas le temps.

DUMAS : Pas le temps, pas le temps ! Et moi ? Avec toute la besogne que j'abats, je le trouve bien le temps ! Mais bon sang, on est à la campagne ! Réveillez-vous, Maquet ! Vingt-quatre heures sur vingt-quatre le nez dans vos feuillets ! Vous croyez que c'est sain ? Vous êtes complètement abruti, mon vieux. Si vous vous relâchiez un peu, vous travailleriez dix fois plus vite, c'est moi qui vous le dis ! Et puis vous avez de l'espace, profitez-en ! Vous avez une mine de déterré...

MAQUET : J'irai voir votre salon Marocain.

DUMAS : À la bonne heure. Quand ?

MAQUET : Eh bien...

DUMAS : Ce soir. Je vous accompagne. Vous allez tomber par terre. C'est une merveille ce salon. Je ne m'en régalerai jamais assez ! Tenez ! On peut même se faire servir là-bas. Tranquillement. Je vous offre une vraie pause. On dîne sur les divans. Comme des pachas. Ça vous changera de vos bouillons.

MAQUET : Très bien.

DUMAS : On travaille quand même mieux le ventre plein.

Et puisqu'il en parle, le voilà qui retire sa chemise, laissant déborder un embonpoint que la discrétion nous interdit ici de mesurer. Puis il regarde Maquet d'un œil gourmand.

DUMAS : Au fait, j'ai déniché une petite auberge, cet après-midi.

MAQUET : Ah ?

DUMAS : Oui. Je revenais à pied de Marly. Je digérais paisiblement le long de la Seine. Tout d'un coup un fumet de civet farci m'envahit les narines. Je me retourne. Et je tombe sur cette auberge. Je me suis payé une de ces rallonges...

Ses yeux pétillent dans le reflet de la petite glace du lavabo, d'autant qu'il se passe un gant savonneux et humide sur le haut du corps et en frissonne de plaisir.

Maquet l'observe un brin narquois.

MAQUET : Et l'on y sert aussi de la paille, dans cette auberge ?

DUMAS : Hein ?

MAQUET : Vous avez des brindilles dans les cheveux, Alexandre.

DUMAS : Ah bon ?

Il se frotte les cheveux et, l'air toujours plus coquin, glisse sur le ton de la confidence :

DUMAS : Je me suis allongé un moment au bord de l'eau.

MAQUET : Vous avez fait une sieste.

DUMAS : C'est ça. J'ai fait une petite sieste. Vous auriez vu la patronne...

MAQUET : Bien sûr.

DUMAS : Elle avait de ces seins, Maquet !

MAQUET : Bien sûr.

DUMAS : Et un cul !

MAQUET : Je vous fais confiance.

DUMAS : Et vous, votre petite ?

MAQUET : Pardon ?

DUMAS : Mais oui, votre petite, là... Comment s'appelle-t-elle, déjà ?

MAQUET : Hortense.

DUMAS : Ah oui. Hortense. Toujours en cure ?

MAQUET : Oui.

DUMAS : Toujours son dos ?

MAQUET : Non. Les hanches.

DUMAS : C'était pas le dos, la dernière fois ?

MAQUET : Si, si.

DUMAS : À ce train-là, dites donc, autant prendre des actions. Si elle doit y passer le printemps...

MAQUET : Elle rentre après-demain.

DUMAS : C'est pas vrai !

MAQUET : Si. J'ai reçu une lettre ce matin...

DUMAS : Eh bien, vous devez être content ! Dites-lui de passer dimanche. On ira guincher dans mon auberge. Dites-lui bien, hein ? J'y tiens... On jouera à la courte paille.

Il rit de sa propre malice devant l'impassibilité d'un Maquet trop occupé à classer et trier les piles de brouillons sur le bureau.

Les deux hommes, à l'opposé l'un de l'autre, se respectent et d'une certaine façon s'admirent. Maquet aime chez Dumas ce naturel enfantin avec lequel il s'extasie de tout, et Dumas s'est progressivement attaché au sérieux et au calme de son collaborateur.

Ils forment une équipe productive, intelligente, créative, où chacun a sa place.

Et plus d'un parmi les rivaux du moment voudrait bien connaître la recette de leur réussite et pouvoir se faufiler, invisible, entre eux deux afin de percer le mystère d'une telle union.

Et justement, sa chemise de travail enfilée et ses cheveux débarrassés des indices de sa sieste crapuleuse, c'est le moment pour Dumas de s'atteler à la tâche. Il vient se poster devant son collaborateur.

DUMAS : Bon. À l'attaque ! Quelle heure est-il ?

MAQUET : Un peu plus de cinq heures.

DUMAS : Qu'est-ce que vous faites ?

MAQUET : Je mets de l'ordre.

DUMAS : Vous brassez de l'air, oui ! Prenez-moi les papiers de *Monte-Cristo*.

MAQUET : Quel volume ?

DUMAS : On va d'abord régler son compte à Morcerf. J'ai le plan des trois derniers actes. Vous notez ?

MAQUET : Un instant...

DUMAS : Acte 3. Un seul tableau. À l'Opéra.

MAQUET : Où ?

DUMAS : À l'Opéra. J'ai tout placé à l'Opéra, vous allez voir. Vous me ferez le découpage des scènes, mais je veux d'abord une entrevue rapide entre Morcerf et Danglars. Hein ? Vous me prendrez ça dans le chapitre où Danglars suspend sa résolution de mariage.

MAQUET : Mm...

DUMAS : Vous me mettez les dialogues de côté.

Et voilà, c'est parti. Dumas est lancé. Et en même temps qu'il réfléchit à voix haute, sans note ni brouillon, il arpente la pièce en tout sens, virevoltant, léger, pareil à un danseur.

DUMAS : Ensuite, on fait intervenir Debray qui apprend à Morcerf qu'un article est sorti, un article qui calomnie un certain colonel Fernand, et qui l'accuse d'avoir vendu les Grecs aux Turcs... etc... etc...

MAQUET : La scène est à faire.

DUMAS : Mais non, c'est inutile. Notez seulement la trame. Et pour la suite aussi, c'est trois fois rien, ce sont des scènes de liaison, je les ferai en dix minutes... C'est après que ça se corse. Puisque je mets tout à l'Opéra, je dois bousculer le roman. Je ne peux plus faire partir Albert et Monte-Cristo au Tréport, vous comprenez. Pareil pour Beauchamp : il n'y a plus de voyage à Janina.

MAQUET : Évidemment.

DUMAS : Je me suis bien amusé, vous allez voir. Écoutez bien. Nous sommes à l'Opéra, dans le corridor de l'Opéra. Albert arrive un journal à la main et montre l'article à son père. Vous y êtes ? Il lui annonce qu'il attend Beauchamp. Et Beauchamp arrive avec les preuves.

MAQUET : Les preuves ?

DUMAS : Ben oui... Les attestations qu'il a ramenées de Janina !

MAQUET : S'il n'y va plus...

DUMAS : On s'en fout ! Quelqu'un lui aura envoyé ! Vous dormez ou quoi ?

MAQUET : Lettre anonyme.

DUMAS : De toute façon, ici, il n'y a qu'à voir le roman. Le chapitre entre Albert et Beauchamp... Je ne sais plus lequel... Vous allez bien me trouver des dialogues à reprendre.

MAQUET : Aucun problème.

DUMAS : Quand Albert déchire les preuves, par exemple... Oh, j'ai une idée ! On va changer ça. Ce n'est plus Albert qui déchire les preuves, c'est l'autre.

MAQUET : Beauchamp.

DUMAS : Oui, Beauchamp. Et il ne les déchire plus, qui plus est, il les brûle !

La plume de Maquet reste en l'air, indécise. Quel tour Dumas va-t-il encore sortir de son sac ? Il le voit alors se servir dans la première pile de feuillets venue et agiter frénétiquement le brouillon sous son nez.

DUMAS : Regardez ! Vous êtes Albert, Vicomte de Morcerf. Ça ce sont les attestations qui prouvent la traîtrise de votre père... Déchirez-les...

Maquet le regarde, incrédule. C'est à peine s'il ose prendre le papier du bout des doigts.

DUMAS : Déchirez-les !

Maquet se lisse la moustache et d'un geste précautionneux sépare le papier en deux plus qu'il ne le déchire. Dumas exulte.

DUMAS : C'est Théâtral, ça ? Non. C'est de la chiasse ! Et vous passez pour une mauviette. Maintenant, je suis Beauchamp, journaliste...

Il prend une autre feuille au hasard, fait craquer une allumette, et le papier flambe aussitôt, magnifique. Il s'empresse de déclamer :

DUMAS : « Au nom de notre amitié Albert »... Voilà. Vous vous en tirez quand même mieux, non ? Et puis c'est plus fort !

Il attend de Maquet un signe d'approbation qui ne vient pas franchement. Et comme la feuille lui brûle les doigts, il la laisse choir à ses pieds et la piétine furieusement.

DUMAS : Vous notez ça.
MAQUET : C'est fait.
DUMAS : Scène suivante : Albert va trouver Danglars pour lui demander des comptes. Il entre dans sa loge, et lui demande pourquoi il annule le mariage. Danglars lui répond que c'est à cause de l'article. Vous y êtes ?

MAQUET : J'y suis.

DUMAS : Mais qui est à l'origine de cet article ? Qui est l'auteur des calomnies ? Albert accuse Danglars. Et Danglars accuse Monte-Cristo. C'est quel chapitre, ça, Maquet ?

MAQUET : Celui de la provocation.

DUMAS : Bon. Vous me sortez les dialogues. Ils y sont mot pour mot. Et pour finir, Danglars indique à Albert la loge de Monte-Cristo...

MAQUET : Il a aussi sa loge...

DUMAS : Oui. J'ai besoin de tout le monde. Je ne vais pas le mettre dans les sanitaires ! Notez. Albert frappe à sa loge, mais Monte-Cristo ne sort pas. Il reste invisible. Notez bien ça... Albert l'insulte, lui jette son gant. Il s'en va, et c'est à ce moment-là, seulement à ce moment-là, que Monte-Cristo apparaît sur scène. Il va vers Beauchamp et lui affirme qu'il tuera Albert, le lendemain, au Bois de Vincennes. Fin de l'acte. Rideau. Acte 4.

MAQUET : Très bien.

Ça dépote. Dumas impose un rythme que le commun des mortels aurait bien du mal à suivre. Mais pour Maquet c'est la routine. Jamais en retard, jamais en repos, sa main reproduit à la seconde chacune des pulsations de l'œuvre qui s'écrit.

DUMAS : Premier tableau, on est chez le Comte de Monte-Cristo. Et là, c'est la grande scène. La nuit. Vous me mettez du brouillard... à couper au couteau... Ou une pleine lune...

MAQUET : Brouillard.

DUMAS : Ou les deux. Monte-Cristo est à sa table, il prépare ses pistolets pour le duel. Une femme voilée apparaît. C'est Mercédès. Elle lève son voile et se jette à ses pieds : « Edmond, vous ne tuerez pas mon fils ». Il lâche ses pistolets : « Quel nom prononcez-vous là, Madame ? »

MAQUET : « Le vôtre, le vôtre que peut-être seule au monde je n'ai pas oublié... »

DUMAS : Vous savez ça par cœur ? Eh bien, vous me la recopierez de bout en bout. Et on enchaîne sur le second tableau : le Bois de Vincennes, la rencontre entre Monte-Cristo et Albert, les excuses d'Albert...

MAQUET : Tout le chapitre.

DUMAS : Tout le chapitre, oui. Et fin du quatrième acte. C'est bon ? Allez ! On passe au cinquième. On a trois tableaux. Premier tableau : la Chambre des Pairs...

MAQUET : Le jugement.

DUMAS : Oui. On reconstitue le décor dans ses moindres détails. Notez, Maquet : j'ai besoin du Président de la Chambre, de six membres de la

Haute Cour, d'Haydée... Et du Comte de Morcerf, évidemment. Vous allez voir, ça va être autre chose que dans le roman. Dans le roman c'est Beauchamp qui raconte le jugement à Albert. Ça passe. Mais c'est de la littérature... Au Théâtre, ça ne passe plus. Ce serait minable.

MAQUET : Interminable...

DUMAS : Absolument. Alors que là. Figurez-vous un peu la scène, l'effet que ça va faire. Ça va être grandiose ! Ah, ah ! Quand Haydée accuse Morcerf d'avoir tué son père et de l'avoir vendue comme esclave... Le public sera debout, Maquet ! La salle entière ! Je les vois déjà, les larmes aux yeux, la rage aux dents, tous prêts à lyncher Morcerf. Ça c'est du Théâtre, Maquet ! Du vrai Théâtre ! Avec des acteurs qui ont les couilles bien accrochées !

MAQUET : Parfait.

DUMAS : Pas du Théâtre de couvent ! Enfin... Bon, vous n'avez qu'à me faire un brouillon et me retracer le chapitre dans les grandes lignes. J'en tirerai les dialogues moi-même. Ce sera vite fait... Bien...

Il reprend son souffle, cherche ce qu'il va dire, mais ses mots ont un temps de retard sur ses pensées. Il regarde Maquet comme si celui-ci pouvait y lire à sa place.

Maquet : Oui ?

Dumas : Ensuite !

Maquet : Morcerf.

Dumas : Ah oui, voilà ! Morcerf... Bon. Là, il faut quand même qu'Albert soit tenu au courant de la déconfiture de son père. Hein ? Donc voilà. On fait un deuxième tableau. Notez. Beauchamp va voir Albert chez les Morcerf. Il lui dit que son père est révoqué. Là-dessus, Albert décide de quitter la France. Notez bien, la scène est à faire... Et on enchaîne avec Mercédès.

Maquet : Quoiqu'on pourrait vraiment faire intervenir Morcerf.

Dumas : Comment ça ?

Maquet : Avant l'entrée de Mercédès. Une confrontation entre le père et le fils.

Dumas : Hein ?

Maquet : Un face à face. Terrible.

Dumas : Ah oui ? Ça, pour être terrible. Vous voyez Morcerf se montrer devant son fils, dans l'état où il est ! Honteux, humilié ! Soyez sérieux !

Maquet : Oui mais quelle scène...

Dumas : On ne peut tout de même pas faire n'importe quoi, mon vieux ! Avançons, s'il vous plaît. Vous me mettrez de côté les dialogues des tête-à-tête entre la mère et le fils. J'en ferai un montage. Et on passe au tableau final. Vous y êtes ? Nous sommes chez le Comte de Monte-Cristo, dans la salle des armes. Je vois Monte-Cristo assis, avec Haydée étendue à ses pieds. Bertuccio frappe et annonce Morcerf.

MAQUET : Je reprends le chapitre.

DUMAS : Oui, mais pas tout à fait. Il y aura une petite variante. Monte-Cristo fait sortir tout le monde et attend Morcerf. Morcerf apparaît. Vous y êtes ? Là, vous pouvez me reprendre le dialogue à la virgule près. Entendu ? Je vais juste m'offrir un petit plus dans le final... Tiens ! Envoyez-moi les derniers mots de Morcerf ?

Discipliné et toujours curieux de connaître la dernière facétie dumasienne, Maquet s'empresse de feuilleter l'ouvrage de *Monte-Cristo* à la recherche du passage demandé.

DUMAS : Ça vient, Maquet ?
MAQUET : Oui, oui.
DUMAS : Je vous écoute.

Maquet a enfin repéré la bonne page. Il se racle la gorge avant de se lancer dans une lecture quelque peu linéaire.

MAQUET : « Oh ! Misérable, qui me reproche ma honte... »

Dumas : Plus loin, plus loin...
Maquet : « Je te suis connu, je le sais... »
Dumas : C'est ça ! Mais mettez-y un peu de tripes, Maquet ! Que ça vibre ! Que ça gronde ! Reprenez !

Maquet prend une longue inspiration et, ajoutant dans sa voix un léger vibrato qui frise le ridicule, entonne :

Maquet : « Je te suis connu, je le sais, mais c'est toi que je ne connais pas ! »

Il s'interrompt pour sonder Dumas sur la qualité de sa prestation, mais ne reçoit en retour qu'un haussement d'épaule consterné. Voire fataliste.

Dumas : Continuez...
Maquet : « Tu te fais appeler à Paris le Comte de Monte-Cristo, en Italie Simbad le marin ; à Malte, que sais-je ? Mais c'est ton nom réel que je te demande, c'est ton vrai nom que je veux savoir, au milieu de tes cent noms, afin que je le prononce sur le terrain du combat, au moment où je t'enfoncerai mon épée dans le cœur. »
Dumas : Voilà ! Restez comme vous êtes ! Regardez-moi et notez ! Je suis Monte-Cristo, je bondis dans un cabinet...

Il joue la scène, la rendant plus vraie que nature. C'est un fauve qui saute derrière le paravent tout en se délestant de son gilet.

Dumas : En une seconde, je me déshabille, je retire ma robe de chambre, j'enfile une veste de marin, et hop, je réapparais devant vous.

Maquet note avec flegme. Mais il s'interrompt quand il devine l'ombre majestueuse de Dumas qui s'avance vers lui, à moitié débraillé, les bras croisés, le menaçant de toute sa superbe. Médusé, il s'écrase dans son fauteuil.

Dumas : « Fernand ! De mes cent noms, je n'ai besoin de t'en dire qu'un seul pour te foudroyer ; mais ce nom, tu le devines, n'est-ce pas ? Ou plutôt tu te le rappelles ? Je te montre aujourd'hui un visage que le bonheur de la vengeance rajeunit, un visage que tu dois avoir vu bien souvent dans tes rêves. Regarde, regarde... »

Il a saisi Maquet par le menton, le secoue comme un prunier.

Dumas : « Regarde... »

Il malmène le pauvre Maquet de plus belle, lui faisant de grands signes avec les yeux.

DUMAS : « Regarde... » Qu'est-ce que vous attendez, Maquet !
MAQUET : Pardon ?
DUMAS : Envoyez-moi la réplique, bon sang ! Vite ! Je suis, je suis...
MAQUET : « Edmond Dantès ! »
DUMAS : Voilà !

Il lâche enfin son collaborateur et celui-ci retombe comme un pantin sur son fauteuil.

DUMAS : Après ça vous vous suicidez. Je fais mes adieux à Mercédès et rideau. Fin de la pièce. Ça va faire mal ! Bon Dieu que j'ai soif !

Encore abruti, Maquet réajuste sa gabardine et se remet de ses émotions. Le cyclone est passé, et Dumas s'enfile une bonne rasade de vin à même le goulot. Il s'essuie les lèvres d'un revers de manche. Retour au calme.

Excepté pour Maquet qui, voûté sur sa feuille, rattrape son retard.

DUMAS : Vous me préparez tout ça pour demain même heure ?

MAQUET : Bien sûr.

DUMAS : Sinon qu'est-ce que vous avez fait aujourd'hui ?

MAQUET : J'ai travaillé sur *Bragelonne*.

DUMAS : Ça je sais... Mais vous ne m'aviez pas dit que vous regarderiez les Archives de la Police ?

MAQUET : Si.

DUMAS : Alors ? Vous avez trouvé quelque chose ?

MAQUET : J'ai une histoire de vieillard.

DUMAS : Ça peut faire un roman ?

MAQUET : Je crois, oui.

DUMAS : Bon. Vous me raconterez ça ce soir. Et si ça me convient, vous attaquez dès demain... Il faut qu'on se mette sur de nouvelles affaires. D'ailleurs, où en sommes-nous ?

Le vacarme d'un nouvel attelage fonçant sur la route a couvert ce dernier échange. Maquet attend que le silence revienne.

MAQUET : Pardon ?

DUMAS : Sur *Bragelonne* ? Nous avons livré combien de chapitres ?

MAQUET : Nous en sommes à vingt et un.

DUMAS : Donc vingt-quatre avec les trois que je vous ai donnés ce matin.

Maquet : Non. Avec ceux de ce matin, vingt et un.

Dumas : Dame ! On n'avait pas misé sur trente à la semaine ?

Maquet : Nous avons pris du retard.

Dumas : Ah oui ? Alors il faut accélérer la cadence, Maquet. Hein ? Il faut fournir, fournir...

Maquet : Mm.

Dumas : Oui mais c'est à vous de fournir. Moi je ne peux pas faire plus.

Maquet : Je vois bien.

Dumas : Eh oui ! Surtout en ce moment. Je ne peux pas être partout ! Vous voyez bien que ça n'arrête pas. J'ai les menuisiers qui m'accaparent pour les boiseries, les décorateurs qui me conçoivent quinze projets par jour, le jardinier qui ne me lâche plus la jambe...

Maquet : Je vais vous soulager un peu.

Dumas : J'y compte bien. Tenez !

Tout naturellement, il attrape la brassée de feuillets qu'il avait posée en entrant sur la cheminée et qui depuis attendait son heure. Il la dépose devant Maquet telle une offrande.

Dumas : Voilà les brouillons que je n'ai pas eu le temps de régler. Vous allez m'en faire vous-même les chapitres. On va rattraper le retard, comme ça.

MAQUET : Très bien.

DUMAS : Ce qui ne doit pas vous dispenser de préparer les brouillons suivants. Il faut garder le rythme. Seulement dès demain, vous en gardez un sur deux et vous passez directement à la rédaction. D'accord ? Vous me donnez l'autre et on travaille à la chaîne. Moi la nuit, vous le jour. Et on se croise en fin de journée pour voir les plans ensemble. On va faire comme ça. Ça ira ?

MAQUET : Ça ira.

DUMAS : On va gagner du temps, puisque les caisses sont vides !

MAQUET : Les caisses sont vides ?

DUMAS : Oui, Maquet. Les caisses sont vides. Avec tous ces fournisseurs qui insistent à longueur de temps pour que je les reçoive. C'est bien simple, depuis que j'ai acheté ce terrain, je vois rappliquer tous les entrepreneurs de la région ! Et des Monsieur Dumas par-ci, des Monsieur Dumas par-là ! Et des courbettes, des simagrées... Et quand ils obtiennent ce qu'ils veulent, vous savez ce qu'ils deviennent ? Des créanciers, Maquet. Des créanciers ! Plus de sourire. Le masque tombe. On ne voit que leurs yeux, gros comme des factures ! Comme si je n'en avais pas déjà mon compte. Tenez, regardez ça.

Il a sorti de sa poche une lettre froissée qu'il exhibe devant Maquet comme s'il s'agissait d'une chose empoisonnée.

MAQUET : Qu'est-ce que c'est ?

DUMAS : C'est mon épouse. Regardez ! Elle se surpasse. Elle me réclame encore l'échéance de sa dot et me menace d'un nouveau procès si je ne la lui verse pas avant la fin mars. Je n'invente rien. C'est écrit noir sur blanc. Fin mars ! Dans un mois. Cent vingt mille francs. Plus les intérêts ! Plus une pension alimentaire ! Au bas mot, cent cinquante mille.

MAQUET : Diable !

DUMAS : Elle veut ma mort ! Après ça, mariez-vous. Une femme à qui j'ai tout donné, et qui me réclame encore cent cinquante mille francs. C'est répugnant, non ?

MAQUET : Le mot est faible.

DUMAS : Vous irez la voir, Maquet. Vous lui direz que j'en ai assez qu'on me prenne pour une vache à lait. Que j'en ai marre de débourser à tout vent et pour tout le monde. Hein ? Cent cinquante mille ! Et je les trouve où, moi, ces cent cinquante mille francs ? Elle se figure peut-être que je vais vous les demander, que vous allez encore me dépanner ?

MAQUET : Tout de même pas, non.

Dumas : Mais si, Maquet. Vous allez voir que vous allez encore me dépanner.

Maquet : Ce sera difficile.

Dumas : Comment ça ?

Maquet : C'est que cent cinquante mille francs...

Encore le bruit assourdissant des chevaux au galop martelant le pavé. Cette fois plusieurs voitures à la suite, ce qui ne manque pas d'attiser l'irritation de Dumas.

Dumas : Quoi ?

Maquet : Je ne les ai pas.

Dumas : Vous ne les avez pas, qu'est-ce que ça veut dire ?

Maquet : C'est-à-dire que... Je n'ai pas de liquidités en ce moment.

Dumas : Vous ?

Maquet : Oui. J'ai tout placé en bourse.

Dumas : Ah ! Et vous ne pouvez pas déplacer ?

Maquet : Non. Pas avant six mois.

Dumas : Six mois ! Ça ne va pas du tout, ça !

Il propulse en boule la lettre de son ex-épouse dans la cheminée.

Maquet sent que ça va barder ! Mais il connaît trop les débordements mélodramatiques de Dumas pour s'en montrer affecté.

DUMAS : Il faut me trouver une solution, Maquet !

MAQUET : Vous avez essayé au journal ?

DUMAS : Vous savez bien que je ne peux plus ! Je leur dois neuf mois de parution.

MAQUET : Vous pourriez aller voir le Théâtre.

DUMAS : Le Théâtre ! Qu'est-ce que je vais ramasser au Théâtre ?

MAQUET : Les recettes sont bonnes.

DUMAS : Pfft ! Trente mille francs, à tout casser !

MAQUET : C'est déjà ça.

DUMAS : Dites donc, vous vous foutez de moi ? Je vous parle de cent cinquante mille, Maquet ! Pas des faux frais.

MAQUET : J'entends bien.

DUMAS : Bon. Alors nous sommes d'accord. Vous vous débrouillez. Vous me les avancez, mon vieux.

MAQUET : Il faut que je réfléchisse.

DUMAS : Vous gardez votre gabardine toute la nuit ? !

MAQUET : Pardon ?

Dumas : Enlevez ça ! Vous me donnez chaud !

Conscient que son manque d'empressement n'a fait que remettre du feu sur la braise, Maquet consent à retirer sa gabardine. Il voit Dumas tournoyer dans la pièce comme un lion en cage.

Dumas : Bon. On va faire du *Bragelonne* ! Ça me calmera ! Sortez vos plans ! Plus vite, Maquet ! Donnez-moi ça !

Mais Dumas n'attend pas. Il s'élance vers le bureau et s'empare des feuillets que Maquet est en train de rassembler. C'est tout juste s'il ne l'écarte pas du bras pour récupérer sa place dans le fauteuil.

Dumas : Ah ! Colbert ! On va lui remonter ses bouclettes à celui-là ! Évidemment, c'est illisible ! Ce mot, là ?

Maquet se penche, imperturbable, suivant le gros doigt que Dumas a posé sur la page.

Maquet : Nourrice.
Dumas : Qu'est-ce qu'elle fout là ?

MAQUET : C'est elle qui annonce la mort de Mazarin.

DUMAS : Quoi ? Tout de suite ?

MAQUET : Oui.

DUMAS : On n'avait pas parlé d'un regain de santé ?

MAQUET : Nous l'avons, en début de chapitre.

DUMAS : En début de chapitre ! Vous plaisantez ?

MAQUET : Il est peut-être temps de nous séparer de Mazarin, Alexandre.

DUMAS : Je voudrais bien voir ça !

MAQUET : Ça fait trente feuillets qu'il expire...

DUMAS : Et alors ? L'agonie de Mazarin me rapporte deux cents lecteurs de plus par jour. Faites le calcul, mon vieux !

L'argument est imparable et Maquet peut difficilement le contester.

Du reste il est sauvé par l'apparition inattendue d'une casquette de sous-officier de police qui dépasse de l'embrasure de la porte.

L'HOMME : Monsieur Dumas ?

DUMAS : Qu'est-ce que c'est ?

L'homme entre, on ne l'a pas entendu monter.

Outre la casquette réglementaire, il porte une veste de velours noire surmontée d'épaulettes et de hautes bottes à moitiés recouvertes de terre. Il tient un pli à la main et semble impressionné de pénétrer dans l'antre du grand Alexandre Dumas.

MULOT : Maréchal des Logis Mulot. J'ai un message télégraphique.

DUMAS : Et vous venez me déranger pour ça ?

MULOT : C'est que c'est très grave, Monsieur Dumas.

DUMAS : Donnez-moi ça !

Mulot s'avance et, après un bref salut adressé à Maquet, remet le précieux message à Dumas. Puis sans attendre que celui-ci le décachette :

MULOT : Louis-Philippe n'est plus roi.

DUMAS : Hein ?

MULOT : Oui, Monsieur.

Dumas a redressé la tête, abasourdi.

Mulot n'est pas mécontent de son effet. Maquet, lui, n'a pas montré le moindre signe d'étonnement.

DUMAS : Qu'est-ce que c'est que cette mascarade !

MULOT : C'est pourtant vrai.

DUMAS : Vous vous foutez de moi !

MULOT : J'y peux rien... C'est à cause des insurgés...

DUMAS : Quels insurgés ?

MULOT : Cette nuit, aux Capucines. Ils étaient au moins mille. Vous ne savez pas ?

DUMAS : Comment voulez-vous que je sache !

MULOT : Ils sont allés brocarder Guizot sous ses fenêtres. La Garde a pris peur et...

DUMAS : Et quoi ?

MULOT : Il y a eu une fusillade.

DUMAS : Qu'est-ce que vient foutre Louis-Philippe là-dedans ? Il est mort ?

MULOT : Non, non...

DUMAS : Alors quoi ? Soyez plus clair !

MULOT : Il a abdiqué.

DUMAS : Abdiqué ?

MULOT : Oui, Monsieur...

DUMAS : Mais comment ?

MULOT : C'est que...

DUMAS : Expliquez-vous, bon sang !

MULOT : La fusillade... La Garde a pris peur, je vous dis... Les autres étaient enragés, des fous furieux !

Maquet : Il y a eu des morts ?

La question de Maquet a fusé, accusatrice. Il n'a pas perdu une miette de la conversation. Mulot se tourne vers lui et ne cache pas son embarras.

Mulot : Bah...
Dumas : Combien ?
Mulot : Cinquante. Ils ont tiré dans le tas.

Dumas regarde Maquet. Maquet regarde Dumas. Et leurs regards convergent de concert vers Mulot qui voudrait bien pouvoir se cacher dans un trou de souris.

Dumas : Ah Bravo ! Ils ont tiré sur le peuple ! Vous entendez ça, Maquet ? Bande de lâches ! Assassins ! Et bien sûr le plus beau de tous, c'est encore cette poire de Louis-Philippe ! Déserter sur un coup pareil... C'est vraiment le Royaume des paillasses !

Mulot : Non, non, attendez ! C'est pas aussi simple. Il est pas parti comme ça. Il faut savoir qu'après la fusillade les émeutiers ont entassé leurs morts sur des charrettes...

Dumas : Et alors !

Mulot : Et qu'ils n'ont rien trouvé de mieux que de traverser Paris, en ameutant les gens d'une rue à l'autre. Ils ont propagé des rumeurs...

Dumas : Quelles rumeurs ?

Mulot : Oh ! Des calomnies, Monsieur Dumas ! Des calomnies... Que la fusillade était un traquenard de Louis-Philippe. Qu'il avait ordonné le massacre pour faire un exemple. Qu'ils disent... Pour écraser le mouvement. Mais on a rien écrasé du tout ! Au contraire ! Avec des enragés pareils ! Au petit jour, ils étaient déjà plus de cent mille. Cent mille ! Et pendant toute la matinée encore, le désordre a gagné tous les quartiers de Paris ! Une vraie gangrène ! Les gens ont formé des barricades, et ils ont pris des armes. Ils sont allés envahir la Préfecture, l'Hôtel de Ville... Ils ont tout dévasté ! Oui, Monsieur ! Et quand Louis-Philippe a voulu rassembler sa Garde, ceux-là mêmes se sont retournés contre lui !

Dumas : Contre lui ?

Mulot : Oui ! C'est pas croyable, hein ? Sa propre Garde ! A-t-on jamais vu une anarchie pareille !

Le cerveau de Dumas est en effervescence. L'écrivain semble soudain faire place à l'homme politique, au héros de 1830, au fils de l'illustre Général de la Pailleterie.

DUMAS : Quand a-t-il abdiqué ?

MULOT : À midi. Mais ça les a pas arrêtés. Ils sont allés saccager les Tuileries. Et tenez-vous bien, ils ont brûlé le trône !

DUMAS : Hein ?

MULOT : Ils ont brûlé le trône, oui !

En effet, l'événement est grave, et le coup d'œil que Maquet glisse vers Dumas ne sait pas à quel saint se vouer.

DUMAS : Et où est-il maintenant cet imbécile ?

MULOT : Ah ça ! On ne sait pas... On l'aurait vu s'enfuir du côté de Saint-Cloud...

DUMAS : Tu parles d'une sortie !

MAQUET : Vous êtes bien certain qu'il a renoncé à sa couronne ?

MULOT : Sur mon honneur, Monsieur !

DUMAS : La Duchesse est régente, Maquet.

MULOT : Absolument, Monsieur Dumas. Elle est déjà à la Chambre.

DUMAS : Qu'est-ce que je disais !

MULOT : On vient d'en recevoir la dépêche. Elle est arrivée sous les vivats de la foule. La Chambre était pleine à craquer pour l'accueillir. On espère bien que ça va nous remettre de l'ordre.

DUMAS : Et son gouvernement ?

Mulot : Son gouvernement ?

Dumas : Vous avez la liste ?

Mulot : Dame, non !

Dumas : Comment ça non ? Qu'est-ce que vous attendez ?

Mulot : Ça, je sais pas... Je suis pas dans les petits papiers, moi.

Dumas : Vous savez au moins si le gouvernement est formé ?

Mulot : Guère plus...

Maquet : Ça va sûrement prendre un peu de temps, Alexandre.

Dumas : Pardi... Voilà pourquoi on me demande de rentrer à Paris. Lisez ça, Maquet.

Maquet se hâte de prendre le télégramme. Il lorgnait dessus depuis cinq minutes. Soucieux et l'air pénétré, il se met à l'écart pour le lire pendant que Dumas continue de cuisiner Mulot.

Dumas : Quand avez-vous reçu ce papier ?

Mulot : Vers quatre heures...

Dumas : Vous ne pouviez pas me l'apporter plus vite !

Mulot : C'est que... On est débordé au poste. Les télégrammes tombent à verse. Et puis on n'est pas nombreux ! Toutes nos forces ont été envoyées là-bas ! Il faut contrôler les insurgés qui rôdent autour de la Chambre. Et les empêcher d'y entrer...

Mais Dumas n'écoute déjà plus. Tel un diable sorti de sa boîte, il est allé décrocher son pardessus.

DUMAS : Emmenez-moi à Paris !
MULOT : Moi ?
DUMAS : Mais oui, vous !
MULOT : Ah mais j'ai pas de voiture !
DUMAS : Comment ça pas de voiture ?
MULOT : Elles sont toutes parties !
MAQUET : Vous avez vu qu'il n'y a pas de signature ?

Dumas relève un sourcil. Laissant la manche gauche de son pardessus pendre dans le vide, il attend que Maquet lui rapporte son télégramme.

DUMAS : Comment ça, pas de signature ?

Il se jette sur le papier. Et constatant que son collaborateur dit vrai, il assène un nouveau coup de fusil au malheureux sous-officier.

DUMAS : Qu'est-ce que ça veut dire ?

MULOT : Ah j'y suis pour rien ! C'est tout ce qu'on a reçu.

DUMAS : Vous n'y êtes pour rien ! Tu parles d'un empoté... Pas de voiture ! Pas de signature ! Bon, Maquet. Courez au château et dites qu'on attelle ma Berline tout de suite !

MULOT : Ça sert à rien, Monsieur Dumas ! Ils vous laisseront pas passer !

DUMAS : J'aimerais bien voir ça !

MULOT : Toutes les portes de Paris sont fermées.

MAQUET : Prenons le chemin de fer.

MULOT : Bloqué aussi. On ne laisse entrer personne.

DUMAS : Ah ça suffit vous ! Je ne vais pourtant pas rester là !

MULOT : Ce sont les ordres.

DUMAS : Non Monsieur ! Les ordres c'est moi qui les donne ! Vous allez retourner à votre poste et dire à vos supérieurs qu'Alexandre Dumas doit regagner Paris impérativement ! Et qu'on me mette tout en œuvre !

MULOT : Mais...

DUMAS : Y'a pas de mais ! Filez !

Pour un peu Mulot se mettrait presque au garde-à-vous. Il ôte sa casquette et quitte la pièce à reculons, confus, empourpré des pieds à la tête. Maudit télégramme...

DUMAS : Jamais vu un planqué pareil !... Pas de voiture !... Pas de chemin de fer ! Alors tout s'arrête, d'une minute à l'autre... Et l'autre abruti qui abdique quand je ne suis pas là !

Maquet l'observe, attendant patiemment que l'orage se passe. Il a rarement vu Dumas s'échauffer à ce point.

DUMAS : Bon, qu'est-ce qu'on peut faire, Maquet ?

MAQUET : Je ne sais pas... Il n'y a plus qu'à attendre.

DUMAS : Attendre ! C'est tout ce que vous trouvez à dire ?

MAQUET : Que voulez-vous faire d'autre ? Nous sommes bloqués.

DUMAS : Mais bougez-vous un peu, mon vieux !

MAQUET : Pardon ?

DUMAS : Mais oui ! Remuez-vous ! Je ne veux pas vous voir planté là !

MAQUET : Je peux descendre au château faire préparer nos malles.

DUMAS : Voilà ! C'est ça ! Descendez au château, ce sera toujours ça de fait.

Le ton étonnamment avilissant de Dumas laisse Maquet sans réaction. Il vient de s'en prendre à lui et cela est nouveau. Peut-être faut-il mettre cette liberté sur le compte d'une contrariété de circonstance. Inutile donc de le contrarier davantage.

Maquet va chercher sa gabardine. Mais soudain...

DUMAS : Non attendez ! Je sais ! Mettez-vous au bureau, Maquet. Vite !

MAQUET : Que se passe-t-il ?

DUMAS : Ne discutez pas. Asseyez-vous... Je vais vous dicter quelque chose...

Revirement total.

Le voilà qui trépigne maintenant sur place comme s'il tenait l'idée du siècle. En regagnant son bureau, Maquet se demande bien quelle mouche a soudain piqué Dumas.

DUMAS : On va gagner du temps ! Je serai à Paris parmi les premiers, avec ou sans Berline ! Vous y êtes ?

MAQUET : Je vous écoute.

Toujours plus circonspect, il trempe sa plume dans l'encrier, gardant l'œil sur un Dumas qui se gratte le menton.

DUMAS : Bon. Notez... « Alexandre Dumas vous écrit »... Non ! « Alexandre Dumas au peuple français ». À la ligne... « Peuple de France... Peuple de France, une fois de plus, c'est toi qui as décidé. Tu as chassé ce Roi d'un autre âge, et tu as eu raison... Voilà seize ans que je prédis cette disgrâce, et le phare que j'ai allumé n'a éclairé que son naufrage... À l'heure de sa fuite, Peuple de France, prends garde ! Prends garde aux hommes qui ont collaboré à sa politique et qui en ont profité ! Prends garde qu'ils ne prennent place encore sur les bancs du pouvoir ! N'oublie jamais l'usage qu'ils en ont fait. Ce pouvoir ils l'ont sali, ils l'ont déshonoré ! Peuple de France, renvoyons-les avant qu'ils n'y reviennent, car tout orage trouble l'eau. Il s'agit aujourd'hui d'écrire la page d'histoire qui s'ouvre à toi, Peuple de France. Fais-le sans eux ! Et félicite-toi de l'avènement de notre Régente, la duchesse d'Orléans, qui saura... »

MAQUET : Pardonnez-moi...

DUMAS : ... « tordre le cou... »

MAQUET : Alexandre...

DUMAS : ... « au désastre légué... »
MAQUET : Vous allez publier ce texte, Alexandre ?

Dumas reste en suspens. Il expédie un regard impatient à son collaborateur et remarque que celui-ci a cessé d'écrire.

DUMAS : Quoi ?
MAQUET : Vous allez le publier ?
DUMAS : Mais non !
MAQUET : Vous voulez le télégraphier ?
DUMAS : Je veux qu'il soit lu dans l'heure qui vient, oui.
MAQUET : Où ?
DUMAS : Au château de Versailles, Maquet.
MAQUET : C'est pour l'Assemblée, n'est-ce pas ?
DUMAS : Voilà. Vous avez compris. Allez !
MAQUET : Vous vous adressez aux députés ?
DUMAS : Mais non ! Vous voyez bien que je m'adresse au peuple.
MAQUET : Quel peuple ?
DUMAS : Ah ! Ne m'interrompez pas Maquet ! Le peuple est à l'Assemblée. J'y vais et je leur parle ! On va transmettre ce texte au Président de la Chambre. Il va s'empresser de le rendre public. Et ça va faire l'effet d'une bombe, croyez-moi. Le peuple va attraper les ministres de l'ancienne gar-

de par la peau du cul et les flanquer dehors ! Allez, nous n'avons pas de temps à perdre.

Mais Maquet ne paraît pas convaincu par les allégations de Dumas. Lui qui d'ordinaire ne se mêle de rien, semble être en proie à d'étranges atermoiements.

Maquet : Ne vaudrait-il pas mieux attendre...

Dumas : Attendre ! Encore ! Mais vous n'avez que ce mot à la bouche ! Attendre quoi, Maquet ?

Maquet : La nomination du gouvernement.

Dumas : Non mais enfin vous êtes bouché ! Vous ne comprenez pas que c'est justement parce qu'il n'est pas encore formé que je fais ça. Je les connais, moi, les Guizot et compagnie ! Ils ne vont pas lâcher le bout de lard comme ça ! Pas question de les voir ressortir ! Tenez ! Vous voulez que je vous dise : le télégramme que j'ai reçu, il vient de la Duchesse.

Maquet : Ah ?

Dumas : Oui. Elle a besoin de moi. Pour écarter les parasites. Pour nommer librement ses ministres.

Maquet : Ce n'est pas ce que dit le télégramme.

DUMAS : Hein ?

Non seulement Dumas a horreur d'être interrompu, mais le fait que ce soit Maquet, là, maintenant, dans un moment aussi important et où chaque seconde compte, ne fait que renforcer sa frustration.

DUMAS : Ce n'est pas ce que dit le télégramme ?

Il vient coller le télégramme en question sous le nez de Maquet.

DUMAS : « Rentrez vite à Paris. Danger imminent. » Il faut savoir lire entre les lignes avant de dire des âneries ! C'est clair comme de l'eau de roche. Elle veut l'appui du peuple. Le peuple est avec moi. Et quand le peuple est avec Dumas et que Dumas est avec la Duchesse, le peuple est avec la Duchesse. Vous avez compris maintenant ? Allez, écrivez ! Où en sommes-nous ?

Voilà un syllogisme que n'aurait pas renié Aristote, et bien qu'un peu froissé par cette démonstration de force Maquet n'insiste pas et reprend sa plume.

MAQUET : « ... Félicite-toi... »
DUMAS : Ah oui ! « Félicite-toi... »
MAQUET : « de l'avènement de notre Régente, la duchesse d'Orléans... »
DUMAS : « La duchesse d'Orléans... qui saura tordre le cou au désastre légué par son beau-père... »

Du coin de l'œil, il vérifie que Maquet s'est remis à écrire. Puis il poursuit avec la même emphase, comme s'il y était, comme si devant lui s'était amassée une foule toujours plus nombreuse qui buvait chacune de ses paroles.

DUMAS : « ... Réjouis-toi aussi de ce nouveau gouvernement... qui sera, sois-en sûr, composé de ceux qui ont compris ta colère... de ceux qui l'ont souhaitée... Ces hommes neufs, gardiens de la paix retrouvée, vont exalter l'avenir de notre France... De ta France ! Ils sont prêts, ils sont là... »
MAQUET : Et les Républicains ?
DUMAS : Hein ?
MAQUET : Vous oubliez les Républicains, Alexandre. Il y a des députés républicains à la Chambre.
DUMAS : Et alors ? Qu'est-ce que ça peut foutre ?

Maquet : Le danger viendrait plutôt de là, non ?

Dumas : Quoi ? Des Républicains ! Enfin, Maquet... La Duchesse n'aurait pas pris la peine de m'écrire pour que je la protège d'un noyau d'amateurs !

Maquet : Ce n'est pas ce que je veux dire.

Dumas : Alors taisez-vous.

Mais non, Maquet n'est pas décidé à se taire. D'une pression du doigt désinvolte il a poussé ses lunettes sur l'arête de son nez.

Maquet : Je veux dire que le danger est peut-être plus grand que vous ne le pensez. Il se peut que les anciens ministres soient déjà à la trappe et que ce soient les Républicains qui mènent le jeu.

Dumas : Vous êtes fatigué ou quoi ?

Maquet : Réfléchissez...

Dumas : C'est tout réfléchi. Reprenez !

Maquet : Non, parce que votre discours...

Dumas : Quoi mon discours ?

Maquet : Il risque de tomber bien mal.

Dumas : Dites donc, Maquet. Je connais mon affaire. Contentez-vous d'écrire.

Maquet : J'insiste, Alexandre : votre discours ne plaira pas aux Républicains.

DUMAS : Mais je m'en fous des Républicains !

Sa voix a tonné plus fort que d'ordinaire. Les murs en tremblent presque.

Mais pas Maquet. Il pose calmement sa plume et s'élève derrière le bureau. Et tout à coup c'est comme si le domaine tout entier retenait sa respiration.

MAQUET : Vous avez tort.

DUMAS : J'ai tort ? Qu'est-ce qui vous prend ?

MAQUET : Nous sortons de trois jours d'émeutes, Alexandre.

DUMAS : Asseyez-vous...

MAQUET : Ces émeutes ont été animées de bout en bout par les Républicains. Ils estiment naturellement être la cause, et de la chute de Guizot, et de la fuite de Louis-Philippe.

DUMAS : Eh bien on lui dira. Asseyez-vous !

MAQUET : Ils ne laisseront pas le gouvernement se faire sans eux.

DUMAS : On leur laissera deux trois postes. Allez, assis Maquet...

MAQUET : Ils ne se contenteront pas de deux ou trois postes.

DUMAS : Ils se contenteront de ce qu'on leur donne.

MAQUET : Ils n'attendront pas qu'on leur donne. Ils prendront avant.

DUMAS : Ils prendront quoi ?

MAQUET : Le pouvoir.

DUMAS : Hein !

MAQUET : C'est l'évidence même.

DUMAS : C'est l'évidence même ! Non mais écoutez-moi ça...

MAQUET : Ils prendront le pouvoir par la force. Un coup d'état.

DUMAS : Ah, ah, ah ! Il dit ça sérieusement, en plus... Un coup d'état des Républicains... C'est la meilleure de l'année !

Mais Maquet n'a nullement envie de rire. Il plante dans les yeux de Dumas un regard d'une froideur implacable. Et le timbre de sa voix se couvre d'une ardeur inhabituelle.

MAQUET : Et pourquoi, s'il vous plaît ?

DUMAS : Oh ! Allez prendre l'air, mon vieux.

MAQUET : En fait, vous pensez que c'est dérisoire, qu'ils ne sont qu'une poignée... Mais ce peuple à qui vous souhaitez qu'on lise votre discours, de qui se compose-t-il ?

DUMAS : Assez...

MAQUET : Ce sont des insurgés, Alexandre. Donc des Républicains ! Ils se sont joints au cortège après la fusillade de cette nuit. Et vous l'avez entendu comme moi : ils ont pris cette fusillade pour un crime délibéré du régime... Ils étaient cent mille ce matin. Combien étaient-ils aux Tuileries cet après-midi ? Et combien sont-ils maintenant ? Trois cents, quatre cents ?

DUMAS : Un million, Maquet.

MAQUET : Peut-être bien. Un million d'enragés qui sont à la Chambre avec l'idée d'aller jusqu'au bout : ils vont chasser la Duchesse.

DUMAS : Ah ! ah ! ah !

MAQUET : Chasser la Duchesse, oui. Et rejeter la Régence... Voilà ce qu'ils veulent ! Et voilà ce qu'ils vont faire ! Ils ont envahi les Tuileries, ils ont brûlé le trône. Ils sont partis pour brûler la Monarchie elle-même.

DUMAS : Allez, ça suffit maintenant !

MAQUET : Ils veulent la peau du régime, Alexandre ! Je n'invente rien. Ce sont les informations...

DUMAS : Quelles informations ? De l'autre, là ? De l'asticot qui se prend les pieds dans son képi.

MAQUET : Je ne fais que reprendre ce qu'il a dit.

DUMAS : Taisez-vous. Je vais vous dire ce qu'il a dit, moi ! La Duchesse est à la Chambre et elle fait un triomphe. Voilà. C'est tout. Je fais dans le concret, moi. Je ne fais pas dans la spéculation !

Le silence qui suit est singulièrement pesant.

Sans prévenir, la discussion aura glissé vers le face à face, elle aura amené malgré eux les deux hommes vers un rapport de force inédit qui semble les désorienter. Ils s'observent, se toisent, se jaugent.

MAQUET : C'est incroyable. Il n'y a pas moyen de discuter avec vous.

DUMAS : Pas moyen, non. Asseyez-vous.

MAQUET : Alors selon vous, il n'y a plus de revendications ? D'une Révolution on est passé à un état de liesse ? Et tout ça à la simple apparition de la Duchesse ?

DUMAS : Tout à fait.

MAQUET : Soudainement, plus d'émeutes, plus de sang.

DUMAS : Oui Maquet. C'est le propre des Révolutions, ça retombe aussi vite que ça commence.

MAQUET : C'est un vrai miracle, dites-moi... Les insurgés ont disparu dans la nature. Ils se sont volatilisés, comme par enchantement...

DUMAS : Dites donc, qu'est-ce que c'est que ce ton ? Vous voulez me prouver que vous avez de l'esprit, c'est ça ? Que vous savez raisonner ?

Vous savez qu'on s'y tromperait. Pour un peu on jurerait que vous avez de l'inspiration ! Une fois n'est pas coutume !

MAQUET : Pardon ?

DUMAS : Vous feriez mieux de la garder au frais, votre inspiration. Et de la sortir quand il faut. Quand nous travaillons ensemble, par exemple. Ça me serait plus utile. Et puis ça me changerait.

Dumas sait qu'il a marqué un point, un point qui fait mal. Et d'ailleurs il regarde Maquet avec un petit sourire de vainqueur auquel se mêle toutefois un soupçon de compassion, cette sensation quelque peu désagréable d'être allé trop loin.

DUMAS : Allez, soyez gentil. Asseyez-vous. Vous voyez ce papier sur le bureau ? Prenez-le.

Il s'adresse à lui comme à un enfant qui aurait compris la leçon et retrouvé le droit chemin. Et en effet, sans sourciller le moins du monde, Maquet prend la déclaration en mains.

DUMAS : Voilà. On peut continuer ?

MAQUET : Un instant...

DUMAS : Vous m'écoutez ?

MAQUET : Un instant, s'il vous plaît. Je relis : « Réjouis-toi de ce nouveau gouvernement... »

DUMAS : Mais ça va, ça va. Je l'ai en tête.

MAQUET : Ce n'est pas pour vous que je relis, c'est pour moi.

Dumas est interdit : aussi insensé que cela puisse paraître, le ton de Maquet, d'habitude si calme et posé, a vibré d'une rare autorité.

MAQUET : « ... gouvernement qui sera composé de ceux qui ont compris ta colère... » Vous croyez à ce qui est écrit là ?

DUMAS : À quoi vous jouez, Maquet ?

MAQUET : « Réjouis-toi... »

Il relève vers Dumas des yeux pleins de défi.

MAQUET : « ... Réjouis-toi... » Vous me soutenez que la Régence de la Duchesse est une réjouissance pour le peuple ?

DUMAS : Ça suffit ! Arrêtez ça immédiatement !

MAQUET : Je peux relire le télégramme, s'il vous plaît ?

DUMAS : Pas question. C'est mon télégramme.

Cette fois, l'impatience de Dumas est un aveu de faiblesse. D'autant que Maquet semble gagner en assurance. Il ne se laissera pas faire, il est comme jamais déterminé. Il est dans l'élan insouciant de celui qui a pris la main et qui la garde.

MAQUET : Vous vous trompez, Alexandre.

DUMAS : Et vous, vous commencez sérieusement à m'échauffer.

MAQUET : Vous n'avez pas compris la colère du peuple.

DUMAS : Parce que vous l'avez comprise, vous !

MAQUET : Je sais qu'il s'est répandu dans le peuple, dans les classes les plus démunies du peuple, des idées qui ne tendent plus à renverser une loi, un ministère, un gouvernement, mais la société elle-même. Regardez où nous en sommes. Le déficit dépasse les cent millions, le chômage ne cesse d'augmenter, la production est réduite, partout, même dans le chemin de fer. Les ouvriers travaillent quinze heures par jour pour un salaire de misère. Ils se savent sacrifiés aux principes de l'économie libérale, ils se sentent exclus de la religion du profit. On a beau leur expliquer que la richesse de ceux qui produisent est aussi la leur, ils ne sont plus dupes. Ils voient gonfler nos bourses alors que les leurs restent vides. Pendant dix ans, ils ont entendu Guizot nous dire : « Enrichissez-vous ! » Ils savent que la Duchesse ne dira pas autre chose. Et ils n'en veulent pas ! Croyez-moi. La révolte ne va pas s'arrêter là ! Le peuple a l'occasion de la porter au pouvoir. Et il le fera. Vous dites que c'est le peuple qui décide, que c'est lui qui a le dernier mot... Eh bien, aujourd'hui, le dernier mot du peuple, Alexandre, c'est la fin de la Monarchie. C'est la République.

Dumas fait une moue émue. On jurerait qu'il va pleurer. Quel acteur !

Il a laissé son cher collaborateur aller au bout de son plaidoyer et adopte une posture faussement débonnaire. Ce n'est certainement pas par courtoisie, mais davantage par curiosité... Voire par jeu. Jusqu'où ira Maquet ?

DUMAS : Vous êtes Républicain, Maquet ?

MAQUET : Cela n'a rien à voir. Je suis lucide, c'est tout.

DUMAS : Vous, lucide ?

Haussement d'épaules et changement de registre :

DUMAS : Vous êtes illuminé, oui !

Et son exaspération bondit brusquement. Il vole plus qu'il ne court vers le bureau, prêt à marcher sur tous les Maquet qui tenteraient de s'interposer.

MAQUET : La République est à notre porte. Le télégramme ne dit pas autre chose.

DUMAS : Dégagez-moi de là...

MAQUET : Alexandre...

DUMAS : J'ai assez perdu de temps comme ça !

Pour Maquet, c'est subitement panique à bord. Il n'a pu empêcher Dumas de l'éjecter du bureau, de s'emparer de *sa* déclaration, puis d'écraser de tout son poids le fauteuil du patron.

MAQUET : Attention ! Si la République passe et que ce discours est connu...

DUMAS : Ah ! Silence !

MAQUET : Vous serez un ennemi du pouvoir, Alexandre. Réfléchissez. Vous menacez notre position !

DUMAS : Comment ?

MAQUET : Ce discours est dangereux.

DUMAS : *Notre* position ?

MAQUET : Oui. Dangereux pour vous, dangereux pour moi.

DUMAS : Ah, c'est donc pour ça. C'est trop drôle. Vous vous sentez menacé ?

MAQUET : Oui.

DUMAS : Pauvre petit ! Vous savez bien que je vous protège.

MAQUET : Aujourd'hui, non. Vous m'exposez.

DUMAS : Je vous expose ? Mais je vous expose à quoi ? Vous ne signez pas.

MAQUET : C'est tout comme. Tout le monde sait que c'est moi qui tiens la plume.

DUMAS : Oui. Et tout le monde s'en fout.

MAQUET : Alexandre !

DUMAS : Vous n'intéressez personne, mon vieux !

Maquet reste de marbre. Mais l'on sent dans cette retenue qu'il a été touché, blessé, par la répartie cinglante de Dumas. Sans avoir conscience réellement de son affront, celui-ci jette un œil rapide à la déclaration et bute sur l'écriture compacte et ramassée.

DUMAS : Relisez-moi ça. C'est du chinois.

D'un air souverain il lui tend le papier.

Plutôt que de relire, Maquet le plie avec soin sans dévoiler d'autres émotions.

Il passe entre les deux hommes quelque chose qui ressemble à un courant d'air froid, le pressentiment qu'une nouvelle ligne de force se prépare à être franchie.

DUMAS : Qu'est-ce que vous faites ?

MAQUET : Vous voyez bien.

DUMAS : Relisez, Maquet.

MAQUET : J'ai mon mot à dire.

DUMAS : Pour les choses qui vous regardent. Relisez !

MAQUET : Ça me regarde ! En aucun cas, vous m'entendez, en aucun cas vous ne pouvez concevoir un engagement sans que de mon côté je n'y consente aussi. Nous sommes deux, en toutes circonstances.

DUMAS : Vous dites ?

MAQUET : Je dis que nous sommes liés, automatiquement. Vous ne pouvez rien décider sans moi.

DUMAS : Tiens. Voilà autre chose.

MAQUET : Tout le monde sait vos penchants monarchistes, votre amitié pour la Duchesse. Et tout le monde pense que vos penchants sont aussi les miens. C'est déjà bien assez de danger pour moi. Si aujourd'hui vous appuyez la Duchesse, on dira que je l'appuie aussi.

DUMAS : Et alors ?

MAQUET : Alors je ne le veux pas.

DUMAS : De quel droit, s'il vous plaît ?

MAQUET : Écoutez-moi. Depuis dix ans que nous travaillons ensemble, je vous ai laissé le beau rôle, de plein gré. Jusqu'ici, jamais je n'ai mis en péril notre collaboration. Et je vous mets au défi, Alexandre : vous ne trouverez aucun reproche à me faire. J'ai courbé le dos, jour après jour. Même quand vous me déplaisiez, j'ai préféré garder le silence pour préserver notre entente. Et sur les erreurs que vous avez faites, j'ai toujours pris sur moi, même quand j'estimais les préjudices. Mais aujourd'hui je ne peux pas. Aujourd'hui c'est plus grave. Si vous tombez, je tombe aussi.

DUMAS : Qu'est-ce que vous dites ?

MAQUET : Ouvrez les yeux... Savez-vous ce que c'est qu'un insurgé, Alexandre ? Vous ne sentez pas leur haine, leur rage contre l'ordre établi ! Vous ne sentez pas le souffle de la Révolution ? La vraie ! Celle qui renverse tout sur son passage ! Personne n'est à l'abri. Personne ! Et certainement pas vous. Vous représentez tout ce qu'ils combattent, Alexandre : le pouvoir, la fortune, l'opulence. Vous incarnez tout ça à la fois ! Et si vous envoyez votre discours, dès demain, à cause de lui, à cause de vous, on nous montrera du doigt. On viendra nous demander des comptes. Et que direz-vous ? Que vous vous êtes trompé ? Que vous ne saviez pas ? Que vous avez été abusé ? Mais personne ne nous croira, personne ne nous le pardonnera !

L'inquiétude fait frissonner Maquet et son élan de sincérité résonne à tel point que, piqué au vif, Dumas ne peut s'empêcher d'applaudir.

DUMAS : Bravo, Maquet ! Bravo ! Très convaincant votre petit numéro.

MAQUET : Ce n'est pas un numéro.

DUMAS : Si, si. La tirade est excellente ! Vous oubliez juste une chose. Vous oubliez qui je suis.

MAQUET : Mais non...

DUMAS : Mais si ! Je ne suis pas un vulgaire négociant, moi, ni un boursicoteur de bas étage. Je ne me suis pas fait sur le dos du peuple.

MAQUET : Mais peu importe...

DUMAS : Je suis Alexandre Dumas !

MAQUET : Peu importe qui vous êtes ! Nous sommes à un moment où celui que l'on respecte et que l'on vénère peut devenir en quelques heures un misérable... À un moment de confusion extrême, où tout est possible. Où chacun cherche à sauver sa peau. Où l'on entrevoit tantôt la liberté, tantôt la mort. Toutes sortes de morts. Pour tout le monde... Vous le premier...

Cette fois, la coupe est pleine et Dumas éclate de rire, d'un rire tonitruant et trop exagéré pour être naturel.

MAQUET : Riez, riez...

DUMAS : C'est n'importe quoi, mon pauvre ami.

MAQUET : Non, Alexandre.

DUMAS : Si. Ça devient n'importe quoi vos histoires ! J'ai jamais entendu un ramassis d'âneries pareil... Vous jacassez comme une cocotte. Comme un vulgaire cabotin. Vous êtes complètement...

MAQUET : Complètement quoi ? En voilà assez !

DUMAS : Pardon ?

MAQUET : En voilà assez ! Je ne suis pas votre chien, Alexandre ! Vous n'avez pas à me parler sur ce ton.

DUMAS : Je vous parle sur le ton qui me plaît ! Non mais vous vous entendez ? Vous me servez la fin du monde, à moi, alors qu'aucun événement ne m'a jamais fait trembler. Revenez sur terre, Maquet ! Et dites-vous bien une chose : quoiqu'il advienne ce soir, je me réveillerai exactement dans la même posture demain matin. Je mettrai le même temps à déployer ma carcasse, je briserai avec la même force la main du premier créancier qui me rendra visite. Et je couvrirai de deux têtes ceux qui viendront se grouper autour de moi, comme depuis toujours. On me traite en souverain, on continuera. Parce qu'on sait que la nature m'a faite comme ça... Je suis un chêne, Maquet, entendez-vous ! Je fais de l'ombre à tout le monde.

Maquet est soufflé par ce qu'il vient d'entendre.

Maquet : Vous êtes un chêne ?
Dumas : Absolument.
Maquet : Un chêne...
Dumas : Un monument vivant, Maquet.
Maquet : Ah ? Dans ce cas, effectivement... Je crois qu'il n'y a plus rien à dire.

De façon instinctive, il décide de ranger la déclaration dans la poche de son gilet. Mais il le fait ostensiblement, dans un geste bien affirmé.

Dumas : Qu'est-ce que vous faites ?

Maquet ne prend pas la peine de répondre. Et Dumas le voit passer devant lui avec une raideur aristocratique et actionner en silence le robinet du lavabo. Il laisse l'eau couler sur ses mains.

DUMAS : Je ne vous conseille pas de jouer au plus fin avec moi ! Vous allez me sortir ce papier de votre poche et reprendre la dictée. Immédiatement ! Vous m'entendez ?

Mais sur ce ton-là Maquet n'entend plus rien. Il s'essuie les mains lentement, minutieusement, puis se dirige vers la fenêtre, tournant le dos à Dumas. Il laisse échapper dans un soupir, comme pour lui-même :

MAQUET : Nous ne sommes vraiment pas d'accord aujourd'hui.

Dumas ne comprend plus. Ou plutôt si. Il comprend trop que ce Maquet-là ne baissera plus la garde. Il n'a pas d'autre choix que feindre la diplomatie.

DUMAS : Que voulez-vous, Maquet ?
MAQUET : Oubliez votre déclaration.
DUMAS : C'est ce que vous voulez ?
MAQUET : Oui. Oubliez-la. Ne faites rien avant d'être à Paris.

Mais chassez le naturel...

DUMAS : Pas question.

MAQUET : Il n'y a pourtant pas d'autre solution, Alexandre.

DUMAS : Vous ne prétendez tout de même pas me dicter ma conduite ?

MAQUET : Si.

DUMAS : Vous oubliez que vous êtes à mon service.

MAQUET : À votre service ? Je ne crois pas.

DUMAS : Ah oui ? Et où êtes-vous, là, Maquet ? Sur la lune ? Non. Vous êtes chez moi. Sous mon toit. À ma demande... Je vous couche, je vous nourris, je vous blanchis.

MAQUET : Et alors ?

DUMAS : Et alors vous êtes à ma charge, mon vieux. Vous rappliquez quand je vous sonne, vous posez gentiment vos fesses derrière mon bureau et vous travaillez pour moi pendant que je culbute des bergères. Le bon petit secrétaire, quoi.

Dix ans ! Dix ans de respect mutuel... Ce ne serait donc qu'un leurre ?

Il n'est pas possible que les propos acerbes de Dumas traduisent sa pensée. Il est déstabilisé, c'est tout. Il ne cherche qu'à faire diversion, qu'à mettre à l'épreuve l'orgueil de Maquet.

MAQUET : Dites donc, je suis écrivain !

DUMAS : Vous ?

MAQUET : Oui. Jusqu'à preuve du contraire, j'écris !

DUMAS : Et quand ?

MAQUET : Mais ici.

DUMAS : Ici ? Vous voulez dire avec moi ? Ça dépend ce qu'on appelle écrire... Si on considère que vous vous servez d'un papier et d'une encre, alors, oui, vous écrivez. Si ça peut vous faire plaisir.

MAQUET : Alexandre !

DUMAS : Non, j'ai eu peur un instant que vous vous prétendiez écrivain par rapport à vos gribouillages, là. Et que vous nous menaciez d'une nouvelle tentative. Parce que de ce côté-là, c'est pas très brillant. Hein ? On ne compte plus vos bides ! Je me trompe ? Combien vous avez vendu d'exemplaires au maximum ? Cent ? Deux cents ? Qu'est-ce que vous voulez, vous aimez la littérature, mais la littérature ne vous aime pas. On a tous nos limites. Résultat, vous vous êtes rabattu sur moi. Mais c'est vrai que vous écrivez. D'ailleurs, je ne m'en plains pas. Je suis très content de vous. Vous êtes un parfait assistant, l'employé idéal.

Maquet est devenu blême. S'il avait encore des scrupules, s'il lui restait une once d'hésitation, ceux-ci viennent de voler en éclats. Et puisque Dumas lui en donne l'occasion, alors soit, le moment est sûrement venu de tout mettre sur la table.

MAQUET : Vous prenez plaisir à m'humilier, n'est-ce pas ?

DUMAS : Mais pas du tout, Maquet.

MAQUET : Je ne suis pas votre employé.

DUMAS : Si.

MAQUET : Non. Nous sommes associés. Nuance.

DUMAS : Associés ?

MAQUET : Absolument... Et depuis toujours... Vous disposez peut-être de moi comme bon vous semble. Mais attention, c'est une hiérarchie de convenance. Je peux dire non à tout moment.

DUMAS : Eh bien dites non si ça vous chante.

MAQUET : Vous n'en tirerez aucun avantage.

DUMAS : Si. Je me passerai de vous.

MAQUET : Vraiment ? Je ne vous le conseille pas, Alexandre. Vous savez très bien que nos intérêts sont réciproques. Nous écrivons ensemble, nous mettons en commun nos talents. À nous deux, nous formons une entreprise. Et son succès repose sur notre collaboration. Et si jamais celle-ci vient à cesser, le gâchis sera aussi désastreux pour l'un que pour l'autre. Nous sommes indissociables. C'est comme ça.

Dumas le regarde de haut. Cette mise au point commence à ne plus l'amuser du tout.

« Associés », il n'a jamais vu les choses sous cet angle, et il se demande bien sur quel fondement absurde repose cette manière de penser.

Dumas : Mais pour un peu, il se croirait indispensable, ma parole !

Maquet : Bien sûr, je le suis ! Osez dire le contraire. Vous avez besoin de moi, Alexandre. Surtout en ce moment... Encore tout à l'heure, vous m'avez demandé de travailler seul. Et il ne s'agit pas de gribouillages. Il s'agit de rattraper le retard, de remplir les caisses...

Dumas : C'est votre boulot.

Maquet : Et si ça m'était impossible ?

Dumas : C'est-à-dire ?

Maquet : Si pour une raison ou pour une autre, je refusais ?

Dumas : Eh bien je m'arrangerai, mon vieux.

Maquet : Et comment ? Quand Hortense tombe malade, et que je dois m'absenter de toute urgence, vous vous arrangez ?

Dumas : Très bien.

Maquet : Ah bon ? Et comment faites-vous ?

Dumas : Elle est toujours dans le gaz, votre Hortense.

MAQUET : Répondez-moi. Comment faites-vous pour fournir, comme vous dites ?

DUMAS : C'est ça Maquet, je suis perdu sans vous, c'est sûr. Je n'écris plus une ligne, je passe mes journées à genoux devant votre portrait, je pleure du matin au soir, je perds mes dents, mes cheveux. Je bande mou...

MAQUET : Oui. Et vous m'appelez au secours dès le lendemain. Vous me demandez de revenir. Parce que tout seul, vous ne pouvez pas tenir la cadence. Vous avez besoin de moi. Et je ne parle pas des services que je vous rends... Des petits dépannages... Vingt mille par ci... Cent cinquante par là...

DUMAS : Ça va ! Ça va !

MAQUET : Vous me devez combien, Alexandre ?

DUMAS : Épargnez-moi vos additions, Maquet ! Vous voulez rester en dehors du coup ? D'accord. Vous avez la trouille ! C'est pas grave... Donnez-moi le papier. Je vais le réécrire.

MAQUET : Ah non.

DUMAS : Si si. Donnez-le-moi. Je le recopie de ma main. Je jette votre brouillon au feu. Et puis je déclare que vous n'étiez pas là lors de sa rédaction. Un petit mot d'excuse, ça vous va ? Tiens, j'irai le porter moi-même au télégraphe... Ah, je sais ! Le petit sergent vous a vu ? Vous en faites pas, mon vieux. Je ferai un détour par le poste, et s'il le faut, je glisserai un petit billet dans son képi.

MAQUET : Vous me prenez pour un imbécile.

DUMAS : Donnez-moi le papier, qu'on en finisse !

MAQUET : Vous ne comprenez vraiment pas ! Que je sois là ou non ne change rien... Encore une fois, ce papier menace votre carrière. Et la mienne avec. Ce qui est hors de question. Alors écoutez-moi bien. Je vais être clair. Le papier est dans ma poche. Il n'en sortira pas.

DUMAS : Qu'est-ce que ça veut dire ?

MAQUET : Ça veut dire que tant que nous travaillerons ensemble, il n'y aura pas de déclaration.

DUMAS : Vous vous foutez de moi ?

MAQUET : À votre avis ?

Si Dumas était un simple témoin de la scène, il serait ravi de découvrir avec quel aplomb son collaborateur sait manier l'ironie. Il pourrait même en rire.

Mais l'ironie s'adresse à lui. Et nom d'un chien, il est Alexandre Dumas, tout de même !

DUMAS : Mais ma parole, Maquet... Vous osez ?

MAQUET : J'ose, comme vous dites.

DUMAS : Vous vous rendez compte de ce que vous exigez ?

Maquet : Absolument.

Dumas : Non ! Vous ne vous rendez pas compte ! Attention... Vous vous mettez en travers de ma route ! Vous savez que personne ne m'a jamais fait ça. Personne !

Maquet : Il faut croire qu'il y a un début à tout.

Dumas : Vous êtes un voyou, Maquet.

Maquet : Je pense à nos intérêts.

Dumas : Nos intérêts ? Non ! Vous pensez à votre carotte. Et c'est tout ! Votre costume d'associé, là, il est trop grand pour vous ! C'est de la mesquinerie ! Du vilain marchandage ! Vous voulez que je me couche, mais dites-moi ce que vous mettez dans la balance ? Hein ? Dites-moi ce que vous mettez pour voir ?

Maquet : Pardon ?

Dumas : Votre monnaie, Maquet ? C'est quoi ?

Maquet : Je suis désolé, je ne comprends pas.

Dumas : Vous exigez que je mange ma déclaration. Mais si je refuse qu'est-ce que vous faites ?

Maquet : Je n'envisage pas de refus.

Dumas : Envisagez-le ! Si je refuse, que se passe-t-il ?

Maquet : Vous verrez bien.

Dumas : Répondez ! Sur-le-champ ! Qu'est-ce que vous faites ? Vous me quittez ?

MAQUET : La question n'est pas là.

DUMAS : Bien sûr que si, la question est là ! Et elle vous gêne diablement, même. Regardez-vous. Vous blanchissez à vue d'œil.

MAQUET : Ah bon ?

DUMAS : Vous ne partirez pas, Maquet.

MAQUET : Je ne partirai pas ?

DUMAS : Non.

MAQUET : Vous cherchez à m'impressionner ?

DUMAS : Vous resterez ici mon vieux, sagement. Vous serez coincé ici parce que jamais vous n'aurez les couilles de me quitter.

MAQUET : C'est vous qui le dites.

DUMAS : Je vous connais, Maquet. Vous faites le paon, vous sortez votre petit manuel de manigances, mais ça s'arrête là. Vous êtes incapable d'aller plus loin. Dans deux minutes vous me mangerez dans la main.

MAQUET : Vous êtes bien sûr de vous.

Dumas le fixe. Dans une joute verbale, il arrive que l'un se fatigue et rompt avant l'autre, non par manque d'arguments mais par l'intuition qu'il ne faut pas que cela dure trop.

DUMAS : Allez ! Ça suffit ! Fini le petit jeu ! Rendez-moi ce papier.

Maquet : Alexandre !

Dumas : Finie la comédie ! Donnez-moi ce papier, Maquet !

Maquet : Vous n'avez pas le choix, Alexandre !

Dumas : Oh que si ! Il est fait mon choix. Maintenant restez, partez, allez au diable si ça vous chante...

Maquet : Attendez.

Dumas : Non. Maintenant ça suffit, Maquet ! On ne va pas y passer la nuit, hein ! Sortez-moi le papier de votre poche ou je...

Maquet : Jamais !

Dumas : Comment ?

Maquet : Jamais vous n'aurez ce papier !

Dumas : Ne me poussez pas à bout ! Donnez-le-moi ou je vous démolis !

Maquet : Mais...

Dumas : Sacrebleu !

On imagine très aisément ce qui suit : Dumas, gargantuesque, d'une force colossale, soulève le pauvre Maquet avec une telle facilité que celui-ci ne peut que fléchir.

Maquet : Ça va, ça va... Le voilà, votre papier.

Dumas consent à le lâcher.

Effrayé et un peu piteux, Maquet farfouille l'intérieur de sa poche. Il est dégoûté, amer, d'avoir reçu tant de morgue de la bouche d'Alexandre Dumas avec qui il travaille sans relâche et duquel, légitimement, il se croyait proche.

Pour autant, Dumas ne crie pas victoire. Non. Lui aussi ne sort pas indemne de cette passe d'armes. Il est comme toujours impatient, déterminé, mais peut-être se tient-il un peu moins droit, peut-être n'observe-t-il pas Maquet avec la même crânerie que cinq minutes auparavant.

Les deux hommes, quoi qu'il en soit, ne veulent pas en rester là.

Maquet le premier, qui extrait la déclaration de son gilet et qui dans un sursaut d'espoir retient encore son bras.

MAQUET : Ne faites pas ça...
DUMAS : Dépêchez-vous !

À peine a-t-il tendu le papier que Dumas s'en est emparé. Et le voilà qui fonce, autoritaire, se rasseoir au bureau.

Maquet secoue la tête de dépit.

MAQUET : Cette fois... Vous êtes malade, Alexandre...

Sans lui prêter attention, Dumas a déjà déplié le papier. Il prend la plume et commence à le recopier en le déchiffrant tant bien que mal.

Il est seul au monde.

MAQUET : Faites-le votre discours. Allez-y. Faites-le. Vous verrez où ça vous mène.

DUMAS : À poser mon cul sur un fauteuil de ministre !

MAQUET : C'est ça, rigolez...

DUMAS : Je ne rigole pas, dites donc.

Les yeux de Maquet s'écarquillent.

MAQUET : Vous, ministre ?

DUMAS : Ça vous en bouche un coin, hein !

MAQUET : C'est donc pour ça ? Votre discours, vos théories sur le peuple, votre passion pour la Duchesse. Jusqu'à ce mépris vis-à-vis de moi depuis une heure... Toute cette comédie parce que vous vous voyez ministre !

DUMAS : Ministre, oui.

MAQUET : Mais vous n'y pensez pas...

DUMAS : Pourquoi ? Vous pensiez finir la journée chômeur, vous ?

Il n'a pas relevé la tête de l'écritoire, il ne voit donc pas Maquet s'avancer vers lui avec dans sa démarche une souplesse étrange, un air d'entrain et de jubilation.

MAQUET : Mais ministre de qui, de quoi ?
DUMAS : Vous êtes encore là ?
MAQUET : Jamais vous ne serez ministre.
DUMAS : Allez, Maquet...
MAQUET : Personne ne songe à vous pour une fonction pareille. Vous rêvez !

Cette fois le but est atteint : Dumas relève instantanément les yeux vers lui.

DUMAS : J'en ai l'air ?
MAQUET : Mais dès qu'on prononce votre nom pour une institution ne serait-ce que l'Académie...
DUMAS : L'Académie c'est pour les jean-foutre !
MAQUET : On n'a pas voulu de vous à l'Académie. Qui vous tolérera dans un gouvernement ?
DUMAS : Le peuple, Maquet ! Toujours le peuple ! Par sa seule volonté. Maintenant foutez-moi la paix.

La plume se remet à écrire, certaine que celui qui la tient a eu le dernier mot. Ne subsiste que la quincaillerie des bracelets qui accompagne chacune des traces sur le papier.

Dans sa façon d'observer Dumas, Maquet est comme un boxeur qui se tient dans un coin du ring et qui s'apprête à attaquer par surprise.

MAQUET : Dumas ministre... Mais même pour le peuple, Dumas ministre : c'est une farce.

La quincaillerie s'arrête net.

DUMAS : Quoi ?

MAQUET : Une farce. Personne ne vous prend au sérieux. Vous êtes bien trop immoral.

DUMAS : Attention à ce que vous dites, Maquet !

MAQUET : On ne retient que vos frasques, vos écarts, vos extravagances... Vous êtes un divertissement national, un bouffon.

DUMAS : Ah non !

MAQUET : Vous vous voyez intervenir au Conseil en agitant vos bagues et vos breloques ?

DUMAS : Taisez-vous !

MAQUET : Et à quoi prétendez-vous ? Aux Affaires économiques ? Aux Finances ?

DUMAS : Je vous ordonne de vous taire.

MAQUET : Vous m'ordonnez ! Non je ne me tairai pas ! Jamais vous ne serez ministre, Alexandre. Mettez-vous bien ça dans le crâne. Jamais ! Votre déclaration vous sera fatale ! Dès ce soir tout le monde se retournera contre vous. Vous êtes un homme fini. Vous ne valez plus rien !

DUMAS : Mais tu vas la fermer, oui !

Hors de lui, il empoigne Maquet par le col et le jette comme un paquet vers la porte. Il est d'une fureur inouïe.

DUMAS : Dehors ! Allez ! Dehors !

Il rejoint aussitôt le bureau et sa déclaration, persuadé d'avoir enfin la paix, pareil à qui croit avoir chassé pour de bon le vilain moustique qui bourdonnait d'un peu trop près.

Mais Maquet est toujours dans la pièce. Il s'est rattrapé comme il a pu, a heurté le rebord de la bibliothèque au passage et la douleur lui traverse encore le bras.

Il se redresse et revient vers Dumas avec dans les yeux des flammes plus vivaces que jamais.

MAQUET : Donnez-moi mon argent.

DUMAS : Comment ?

MAQUET : Ce que vous me devez. Emprunts, droits, intérêts. Donnez-moi tout ça.

DUMAS : Ça va pas, non.

MAQUET : Vous me congédiez. Vous n'avez pas le droit.

DUMAS : Laissez-moi travailler, Maquet.

MAQUET : Donnez-moi mon argent.

DUMAS : Mais vous l'aurez, votre argent.

MAQUET : Je le veux tout de suite.

DUMAS : Allez, Maquet... Vous l'aurez demain, dans deux jours... Vous voyez bien que vous n'êtes pas dans votre état normal.

MAQUET : Faites attention, Alexandre. Je ne plaisante pas. C'est mon argent.

DUMAS : Vous devriez sortir.

MAQUET : Je ne sortirai pas.

DUMAS : Mon pauvre ami...

Il offre à Maquet un sourire empreint de miséricorde.

DUMAS : Je n'ai pas de quoi vous payer, de toute façon.

MAQUET : Vous n'avez pas de quoi ?

DUMAS : Vous le savez bien d'ailleurs ! Alors à quoi ça rime ?

MAQUET : Parfait. Vous aurez des nouvelles de mon avocat.

DUMAS : Votre avocat ?

MAQUET : Oui.
DUMAS : Vous avez un avocat, vous ?
MAQUET : Ça vous étonne ?

Oui, visiblement, cela étonne Dumas.

Il jauge et considère son collaborateur autrement : comme un adversaire à sa mesure. Se peut-il que Maquet dise vrai ? Pour le savoir, il aurait presque envie de rétablir une complicité.

DUMAS : Qui ?

MAQUET : Vous le verrez bien assez tôt. Dès demain, je lui transmets ma requête.

DUMAS : Pour quoi faire ?

MAQUET : Un procès.

DUMAS : Ah, ah, ah ! Il est fou ! De quoi parlez-vous, Maquet ? Un procès... Mais quel procès ? Vous m'attaquez ?

MAQUET : Oui. Je vous attaque. Et je vous ruine.

DUMAS : Vous, Maquet ? Vous voulez me ruiner ?

MAQUET : Oui. Moi.

Il a insisté sur ce « Moi », comme si ce mot contenait toutes les preuves de son existence. Il l'a affirmé avec autant d'évidence et de simplicité qu'il en est surpris lui-même.

Oui, pour la première fois ce « Moi » existe, puisqu'il s'oppose à Dumas.

DUMAS : Vous êtes en train de vous payer ma tête, là.

MAQUET : Pas du tout.

DUMAS : Si. Vous voulez encore m'empêcher de faire ma déclaration. Un procès... Vous n'avez rien trouvé de mieux. Vous tombez dans le grossier, mon vieux. « Rendez-moi mon argent. *Mon* argent ». C'est tellement énorme, ça devient pathétique.

MAQUET : Je ne vous permets pas.

DUMAS : Allez, allez...

Il fait de la main un petit geste méprisant.

MAQUET : Il n'y a pas de « allez ». Vous condamnez mes intérêts, vous ne respectez pas nos conventions. Et maintenant vous ne me payez pas. Vous voulez la guerre. Vous l'avez.

DUMAS : Reprenez-vous mon vieux. Vous réalisez ce que vous dites ? Un procès. La guerre... Vous ne savez pas ce que c'est qu'une guerre contre moi.

MAQUET : Je suis en position de force. Sachez que j'irai jusqu'au bout, Monsieur Dumas, et que vous pouvez vous préparer des nuits blanches.

Dumas le regarde avec désolation.

DUMAS : Vous me fatiguez. J'en ai assez de discuter avec vous. Vous êtes ridicule.

MAQUET : Pensez ce que vous voulez. Adieu.

Il va pour sortir du cabinet de travail...

DUMAS : Maquet !

Maquet se retourne.

Dumas a dans la main sa gabardine. Il la met en boule avant de la balancer augustement aux pieds de son collaborateur.

DUMAS : Vous oubliez ça !

Maquet ne dit rien, ne frémit pas. Il ramasse la gabardine et la dépoussière sommairement.

DUMAS : Vous ne trouverez pas de voiture.

MAQUET : Je me débrouillerai, faites-moi confiance.

DUMAS : Vous vous prenez pour qui ? S'il n'y a pas de voiture pour moi, il n'y en a certainement pas pour vous.

MAQUET : Je serai ce soir à Paris.

Dumas : J'y serai avant vous.

Maquet reprend le chemin de la sortie. Il pose déjà le pied sur l'escalier en colimaçon, lorsqu'il est encore interrompu par la voix dédaigneuse de Dumas.

Dumas : Allez-y... Faites-le moi votre procès. Je vous laminerai en deux séances. Je vous écraserai comme une larve.

A-t-il dit cela pour provoquer encore ? Ou pour se rassurer lui-même...

Il y a dans cette ultime bravade comme l'expression d'une certaine lassitude, il s'ennuie déjà à l'idée de devoir mener ce combat dont il n'a pas envie.

Maquet l'a du reste entendu ainsi, et c'est pour ça qu'il revient.

Maquet : Vous savez très bien que ce procès peut vous coûter très cher.

Dumas : Il va me coûter zéro, vous allez perdre !

Maquet : Je ne perdrai pas. J'ai suffisamment mis de côté, moi... Je peux faire face... Tandis que vous... L'étau se resserre. Votre situation financière est de plus en plus catastrophique. Il suffit d'un rien pour vous assener le coup de grâce.

DUMAS : Et vous comptez me le donner ?

MAQUET : Oh, mais j'en ai les moyens. J'ai largement de quoi vous mettre sur la paille.

DUMAS : Arrêtez votre cirque, Maquet.

MAQUET : Vous voulez des chiffres ? Je vous réclame pour commencer le remboursement immédiat de mes prêts, plus leurs intérêts à vingt pour cent. Ensuite, mes arriérés de droits sur toutes nos œuvres, ainsi qu'une réévaluation de mon pourcentage, et les dommages causés par leur retard.

DUMAS : Allons donc.

MAQUET : J'exige aussi un dédommagement pour rupture abusive de contrat, soit une somme calculée sur la base de mes revenus de *Monte-Cristo* et portant sur trente années... Je suis en mesure d'évaluer le tout à plus d'un million de francs.

DUMAS : Combien ? !

MAQUET : Vous avez bien entendu. Un million de francs. Pas un sou de moins.

DUMAS : Et c'est avec ça que vous voulez me ruiner ? Un petit million !

MAQUET : Arrêtez de jouer avec moi, Alexandre ! Je sais très bien qu'un « petit million » en ce moment, c'est colossal, pour vous... Mais si ça ne suffit pas, je peux aller plus loin. Je peux convoquer la presse.

DUMAS : Et alors ?

MAQUET : Je vais leur jeter ce procès en pâture. Dès demain, tenez. Ils vont se régaler, croyez-moi. Ils n'attendent que ça.

DUMAS : Allez-y. Je ne vois pas ce que ça change.

MAQUET : Vous ne voyez pas ? Vous ignorez que j'ai quelques petits secrets en réserve.

DUMAS : Des secrets ?

MAQUET : Oui. Des petits secrets de fabrication, entre vous et moi. Savoureux, vous verrez.

DUMAS : Voilà autre chose... Par exemple ?

MAQUET : Par exemple... Que c'est moi qui suis à l'origine de nos œuvres, et que leur succès m'est dû tout autant qu'à vous.

DUMAS : Hein ? Attendez, une seconde... Je me pince... Vous pouvez répéter ?

MAQUET : Tout autant qu'à vous. Sinon davantage.

Cette fois, Maquet a tapé juste. Dumas ne rit plus de tout.

Ce « davantage » a été prononcé avec trop de conviction pour être anodin.

DUMAS : Vous êtes complètement fou ! Où est-ce que vous allez chercher ça ?

MAQUET : J'ai des documents.

Dumas : Des documents...

Maquet : J'ai un dossier réunissant l'intégralité de mes écrits depuis dix ans qui établit clairement que nos grands titres sont nés de mon inspiration, et que vous n'intervenez qu'en tout dernier lieu, pour la rédaction.

Dumas : Mais on ne vous croira jamais, mon vieux !

Maquet : On me croira. J'ai un volet qui retrace l'évolution de mes travaux sur les *Trois Mousquetaires*, phase par phase, de l'idée originale jusqu'à la trame finale... Et ce volet-là est particulièrement explosif, croyez-moi. Vous aurez l'occasion de l'apprécier par vous-même. Nos lecteurs aussi. Demain, ils l'auront dans tous les journaux.

Dumas : Eh bien je démontrerai que c'est un faux. Ce sera un jeu d'enfant.

Maquet : Et comment ferez-vous ?

Dumas : Je dirai que vous avez recopié mes originaux.

Maquet : Vous ne le direz pas longtemps si les miens sont certifiés, datés, signés, authentifiés les uns après les autres devant notaire.

Dire que Dumas n'en croit pas ses oreilles serait un euphémisme.

C'est à son tour de déchanter. Le voile se déchire et il voit Maquet, le vrai Maquet, un être qui se révèle à ses yeux calculateur, cynique et déloyal. Son pire ennemi.

Dumas : Vous avez fait ça ?

Maquet : Absolument.

Dumas : Vous avez fait ça.

Maquet : Ah ! Là, vous êtes surpris ! Je vous tiens ! Vous commencez à comprendre. Regardez. Vous avez un vilain rictus au coin de la bouche. Je vous avais prévenu. Vous vous êtes trompé sur mon compte, Alexandre. D'emblée, vous avez décidé que j'étais terne, inoffensif, médiocre. Autrement dit inexistant. Et depuis vous êtes toujours resté sur cette même idée, sans jamais vous soucier de moi. Jamais... Vous vous glorifiez tellement d'être loin au-dessus des autres, d'être invincible même, que vous en avez négligé une règle essentielle : celle de regarder à vos pieds. Vous n'avez jamais pensé que c'est de là, au plus près, qu'on se dresserait devant vous.

Dumas : Pfft...

Maquet : Si, Alexandre. Aujourd'hui, vous avez quelqu'un devant vous. Et ce quelqu'un c'est moi. Vous me voyez pour la première fois et vous tremblez.

Dumas : Ne vous emballez pas, Maquet. Je ne tremble pas.

Maquet : Si, vous tremblez. Et ce n'est rien encore. Vous n'allez pas tarder à fléchir. J'ai entre les mains l'imposture littéraire du siècle. Et la déchéance de l'imposteur.

Dumas : De qui parlez-vous ?

Maquet : De vous. Du *grand* Alexandre Dumas. Vous savez bien ? Le monument qui laisse croire qu'il est l'auteur de ses œuvres.

Il a un fugace mouvement de recul, car Dumas a posé ses grosses mains sur le bureau.

Dumas : Et depuis quand je ne suis plus l'auteur de mes œuvres ?

Maquet : Au moins depuis que nous travaillons ensemble.

Dumas : Qu'est-ce que ça veut dire ?

Maquet : Ça veut dire que je prétends l'être.

Dumas : Quoi ?

Maquet : L'auteur. Le seul.

Dumas : Vous ?

Maquet : Oui. Et c'est ce que je vais déterminer.

Dumas : Vous, l'auteur de mes œuvres ? Alors là c'est très grave ! Il faut vous faire soigner ! Et vite !

Maquet : Je suis en pleine forme.

Dumas s'approche de lui. Le regard est sévère. Mais celui de Maquet ne fuit pas : il y a si longtemps qu'il espérait cet instant.

DUMAS : Vous prétendez être l'auteur de mes œuvres ? Vous !

MAQUET : Oui.

DUMAS : Et vous avez le culot de me dire ça en face ! Auteur... Mais vous ne savez même pas ce que ce mot veut dire !

MAQUET : Je le sais mieux que vous.

DUMAS : Non. Vous ne le savez pas.

MAQUET : Si. L'auteur c'est celui qui invente, qui imagine. C'est le seul à pouvoir revendiquer la paternité des œuvres.

DUMAS : Quoi la paternité ? Quelle paternité ? La paternité c'est moi, Maquet !

MAQUET : Et pourquoi donc ?

DUMAS : Parce que c'est moi qui signe.

MAQUET : Ah bon. Et qui le dit ?

DUMAS : Quoi ? Qui dit quoi ?

MAQUET : Qui dit que la signature vaut la paternité ?

DUMAS : Tout le monde. La signature désigne l'auteur. Un point c'est tout.

MAQUET : Et qui dit que la signature désigne l'auteur ?

DUMAS : Arrêtez Maquet.

MAQUET : Mais non. Je vous pose la question : qui dit que la signature désigne l'auteur ? Vous connaissez une loi, vous ?

DUMAS : Mais enfin, il n'y a pas besoin de loi ! Pourquoi voulez-vous qu'il existe une loi ?

MAQUET : Pour couvrir les gens de votre espèce. Et c'est précisément parce qu'elle n'existe pas encore que je vous attaque. Et je vous garantis qu'après mon procès, il y en aura une. Et qu'elle n'ira pas dans votre sens.

Dumas est déboussolé. Mais le raisonnement de Maquet est si froid et d'une certaine façon si pensé, si cohérent, qu'il est impossible que lui, Alexandre Dumas, qui depuis dix ans s'en remet à cet homme en toute confiance, ne l'ait jamais vu venir avant.

DUMAS : Mais enfin, c'est insensé !

Il cherche dans la pièce une preuve tangible de la réalité qui l'entoure...

DUMAS : Je suis, je suis, je suis... Enfin tout de même !

Il pivote sur lui-même et va soudain vers la bibliothèque. Il attrape le premier volume venu, le brandit entre ses mains tremblantes...

DUMAS : Regardez ça, Maquet ! Vous lisez quoi, là ? Hein ? Vous lisez quoi ? *Alexandre Dumas.* C'est écrit en toutes lettres : *La Reine Margot, par Alexandre Dumas.* Là, c'est signé Dumas !
MAQUET : Je sais lire.

Mais la furie Dumas s'approche encore et lui plaque sous le nez le volume en tournant fiévreusement les pages.

DUMAS : Et là, vous savez lire ? Tous ces mots, là, ces chapitres entiers. C'est du Maquet, peut-être ? Non. C'est moi. Vous n'y êtes pour rien ! Le livre entier, de la première à la dernière lettre, c'est moi qui l'ai écrit ! Chaque mot, chaque virgule, chaque tiret, c'est moi seul !
MAQUET : Oui.

Ce ton complaisant, ce détachement qui l'agacerait s'il avait à le subir, tout cela c'est lui, c'est Maquet. Aujourd'hui, c'est lui le patron, il le sait.
C'est dans une indifférence totale qu'il voit Dumas foncer à nouveau vers la bibliothèque et faire valser les volumes les uns après les autres.

DUMAS : Et celui-là, Maquet ? C'est moi ou c'est pas moi ? D'Artagnan, Porthos, Aramis... Qui l'a écrit ? C'est moi ou c'est pas moi ?

MAQUET : Mais je ne dis pas que vous ne l'avez pas écrit.

DUMAS : Ah bon !

MAQUET : Je dis que vous n'en êtes pas l'auteur.

DUMAS : Ma parole, Maquet !

MAQUET : Non. L'auteur, le vrai Dumas, c'est moi.

DUMAS : Non !

MAQUET : Le vrai Dumas, c'est moi. Auguste Maquet.

DUMAS : Non ! Non !

Le trop plein d'indignation a jailli à la face de Maquet. Lui aussi découvre un nouveau Dumas. Il ne pensait pas le voir un jour si vulnérable.

DUMAS : Je ne l'accepte pas ! Vous n'avez pas le droit de salir mon nom. Je l'avais déjà porté au plus haut que vous nagiez encore dans vos langes.

MAQUET : Peu importe. Aujourd'hui je suis là et si je m'en vais vous n'existez plus. Vous n'êtes rien sans notre association. Et notre association, c'est moi qui en ai eu l'idée. Sans moi, elle n'aurait jamais vu le jour. J'en suis le cerveau.

Dumas : Je vous interdis !

Maquet : Bien. Faut-il vous rappeler que je suis venu vous chercher au Théâtre au moment où vos pièces battaient de l'aile ?

Dumas : Faux ! Mes pièces se portaient à merveille.

Maquet : Ah oui ? Dites-moi pourquoi, lorsque je vous ai proposé mon premier canevas, vous avez sauté dessus comme un crève-la-faim ?

Dumas : Comme un quoi ?

Maquet : Votre Théâtre s'épuisait, voilà la vérité. Mais à cette époque vous n'aviez pas encore conscience de vos facilités pour le roman. Moi, j'ai eu cette vision. J'ai su évaluer le fabuleux pari de notre collaboration. Et c'est moi qui en suis l'instigateur. Moi seul.

Dumas : Vous mentez.

Maquet : Non. Je suis allé vers vous parce que j'étais certain qu'il y avait là matière à exploiter votre verve. Votre génie si vous voulez. Mais ce génie-là n'est rien comparé au mien. Depuis dix ans, j'ai tout inventé. Les sujets, les plans, les personnages... J'ai construit un à un tous nos chefs-d'œuvre. Ils sont tous sortis de là, de mon imagination.

Dumas : Taisez-vous ! C'est de la mystification.

MAQUET : Ah oui ! C'est l'impression que vous avez. Je sais. Vous avez toujours pensé que tout venait de vous. Mais en réalité, votre apport est infime, Alexandre. Vous n'avez fait que sculpter la matière que j'ai produite. Et encore ! Certains chapitres me reviennent entièrement. Et si vous croyez que les autres vous sont dus, ce n'est qu'après mes rectifications qu'ils sont passés à la presse. Vous croyez être l'auteur... Vous ne voyez pas que c'est moi qui décide, que tout est fait sous mon contrôle. Que c'est moi qui tire les ficelles.

DUMAS : Vous ne croyez pas un mot de ce que vous dites.

MAQUET : Oh si !

L'exaltation a gagné Maquet. Mais ce genre d'exaltation est à la mesure du personnage : aucune trace d'égarement, aucun signe de nervosité. Il est passé de la revendication à la simple évocation de faits qui sont pour lui indiscutables.

Outre la teneur de ces faits, c'est cela qui subjugue Dumas : la faculté soudaine de son collaborateur à dominer et à mener les débats.

Le grand écrivain n'est pas loin de vaciller. Sa voix s'enroue, une boule semble s'être glissée au fond de sa gorge.

DUMAS : Alors ce n'est pas vous, Maquet. Ce n'est pas vous qui parlez. On vous a mis le démon en tête. Ce n'est pas possible autrement. Quelqu'un vous a monté contre moi. Qui ? Qui vous a monté contre moi ?

MAQUET : Personne. D'ailleurs, quand j'aurai révélé la véritable nature de notre association, le monde entier réalisera que l'entreprise Dumas, c'est moi. Que j'en suis l'âme, la substance.

DUMAS : Vous n'allez pas raconter ça ! Vous n'oserez jamais raconter ça !

MAQUET : Si Alexandre. Je ne vais pas me gêner.

L'instant est comme irréel.

Jamais Dumas ne s'était à ce point fourvoyé sur quelqu'un. Bien sûr, il a des ennemis et ils sont nombreux ceux qui ont tenté de le faire douter, ceux qui ont manœuvré dans son dos pour le faire chuter de son piédestal... Mais Maquet, son Maquet, le fidèle d'entre les fidèles...

DUMAS : Eh bien dites-le ! Dites-le une bonne fois pour toutes que vous me haïssez ! Vous crevez de jalousie ! D'ailleurs tout le monde le sait. Vous êtes aigri ! Ça fait dix ans que vous ruminez dans mon dos. Que vous dégueulez votre bile en secret. Avouez... On verra bien que ça vous a porté sur les nerfs.

MAQUET : Non. On dira que j'ai raison. On dira que je suis bien bon d'être resté dans l'ombre, et l'on s'étonnera que je n'en sois pas sorti plus tôt ! On va savoir que vous me devez tout. Que vous me devez votre gloire et votre fortune. Et on trouvera légitime que j'en récupère les dividendes. Je vais gagner ce procès, Alexandre. C'est à moi que revient la paternité. Et cette fois, ce n'est plus l'affaire d'un million, mais de sept, huit, voire dix millions de francs.

DUMAS : Dix millions ? Voleur ! Escroc ! Vous ne les aurez jamais !

MAQUET : Je les aurai et c'est à vous qu'on ira les prendre. Vous ne tarderez pas à voir les experts venir estimer la valeur de votre domaine. Vous serez dépouillé de votre château sans l'avoir habité. Et au delà de sa vente, au delà de votre ruine, je vous promets d'autres conséquences. Bien plus sinistres.

DUMAS : Vermine.

MAQUET : Avez-vous déjà songé au déclin, Alexandre ? Songez-y, songez-y bien ! Demain, je ne suis plus là. Et sans moi, vous ne faites plus rien, sans moi vous n'avez plus aucune idée, plus aucun projet sous la main. Vous ne savez même pas comment terminer *Bragelonne*.

DUMAS : Mais si...

MAQUET : Ah bon ? Et comment ?

DUMAS : Mais… Je peux très bien vous trouver un remplaçant.

MAQUET : Ne dites pas de bêtises.

DUMAS : Vous n'êtes pas unique.

MAQUET : Et qui acceptera ? Qui pourra me succéder, sachant que je fais du Dumas mieux que Dumas lui-même ? Qui osera ? Personne. Ne vous faites aucune illusion, Alexandre. Personne n'a plus rien à gagner auprès de vous. Dès que je franchis le seuil de cette porte, vous êtes seul, submergé. D'ici une semaine, la parution de *Bragelonne* est suspendue. Et face au désastre, vous n'aurez plus qu'une chose à faire, Dumas : vous arrêter.

DUMAS : M'arrêter ?

MAQUET : Oui. Vous arrêter. Mettre un terme à votre carrière. D'ailleurs, vous êtes en fin de course. Il est peut-être temps, non ?

DUMAS : Salaud ! Jamais je ne m'arrêterai.

MAQUET : Vous êtes déjà à l'arrêt. Il n'y a que moi qui vous maintienne à la surface. Regardez-vous. Ah ! Vous faites votre âge tout d'un coup ! C'est la glissade qui commence ! La glissade vers la vieillesse, la déchéance, la misère… La misère et la mort…

DUMAS : Salaud…

Dumas a perdu toute arrogance, toute splendeur. Il n'a plus rien à voir avec le « monument », le « chêne » qu'il prétendait être.

C'est un homme, tout simplement. Un homme outragé et à moitié hagard qui voit Maquet enfiler sa gabardine et rassembler les brouillons sur lesquels ils travaillaient ensemble.

DUMAS : Salaud ! Vous êtes ignoble. Vous me dégoûtez. Vous n'êtes pas un homme, Maquet. Vous êtes un monstre... Un monstre... Oui. Je peux mourir, seul si vous voulez, ruiné peut-être. Qu'est-ce que ça peut me foutre. Allez-y, Maquet. Tuez-moi si ça peut vous faire plaisir. Votre crime ne peut pas me porter atteinte. Jamais... J'ai déjà légué tant de richesses à tous ceux qui me lisent...

Maquet enferme tranquillement les brouillons de *Bragelonne* et de *Monte-Cristo* dans sa sacoche en cuir. Il compte bien partir avec.

En d'autres temps, le Dumas que nous connaissons se serait rué sur lui, il l'aurait pris à la gorge et lui aurait arraché la sacoche pour récupérer son trésor.

Mais non. À cet instant, c'est à peine s'il y fait attention. Il fait face à la bibliothèque et la caresse du regard, non sans fébrilité.

DUMAS : Il y a longtemps que tout ça leur appartient...

Il prend un ouvrage au hasard et semble se raccrocher à cet objet réconfortant.

DUMAS : Quand ils ouvrent un de ces livres, savez-vous ce qu'ils y trouvent, Maquet ! Mon cœur. Le mien. Je peux mourir oui. Mon cœur va continuer à battre, lui, pendant des siècles. Où est votre cœur, Maquet ? Où est-il ? Pas entre ces pages. Ni dans cette bibliothèque. Il n'est nulle part. Vous n'en avez pas... Vous ne savez pas ce que c'est que de donner. Donner avec son cœur. Et vous ne le saurez jamais. Vous voyez ce livre, eh bien je touche celui qui le lit. Et en retour j'en suis aimé. Et quand il le referme, je fais partie de sa vie. Pour toujours. Moi et moi seul. Il n'y a que ça qui compte. Voilà l'unique raison de cette œuvre. Voilà ce qui fait que j'en suis l'auteur. Et peu importe les moyens, peu importe qu'on sache que j'ai eu besoin d'un Maquet...

MAQUET : On le saura.

DUMAS : Eh bien, faites-le savoir. Faites-le. Ça ne changera rien. On ne vous aimera pas pour autant. Vous pouvez faire tous les procès que vous voulez, je vous assure que l'histoire donnera à chacun sa place. Vous avez devant vous Alexandre Dumas. Le seul. Dans cent ans, dans deux cents ans, on ne retiendra que celui-là.

Le vieux lion bouge encore : il s'approche de Maquet et lui prend la main.

DUMAS : Touchez sa main, touchez son front, touchez son nez... Son portrait est reproduit à des centaines d'exemplaires. Sa stature est taillée dans la pierre.

Ce ne sont plus ni sa morgue ni sa colère qui le guident, mais l'émotion. Une émotion tangible et sincère. Et c'est un terrain sur lequel Maquet peut difficilement répondre. Il laisse Dumas l'entraîner jusqu'à la fenêtre.

DUMAS : Venez par-là. Vous voyez le dessus du perron ? C'est lui qu'on y verra bientôt. C'est moi. Moi seul. Vous croyez être Dumas ? Mais regardez-vous. Regardez-moi et regardez-vous. Faites la différence. Vous verrez ce que je suis vraiment, ce que tout le monde voit... Vous voulez me ruiner ? Mais l'argent, je le flambe sitôt rentré. L'argent c'est des dettes, et ça ne sert à rien d'autre qu'à construire des légendes ! Vous voulez que je vende mon château ? Mais mon château, Maquet, même vendu, il m'appartiendra toujours. Les pierres sont là. Chacune d'entre elles est marquée de mon sceau, de mon empreinte. Elles offriront toujours la trace de mon existence. De mon existence, Maquet ! Pas de la vôtre... Partez maintenant... Partez...

Il autorise Maquet à revenir au bureau et à fermer les bretelles de sa sacoche.

Un dernier regard circulaire sur ce lieu familier et le voici qui se dirige droit comme un « i » vers l'escalier, la sacoche sous le bras.

Il ne regrette rien, et même, il est soulagé. Il semble apprécier cette liberté toute nouvelle, son état d'homme enfin affranchi de la tutelle dumasienne.

Mais la voix caverneuse l'arrête encore.

DUMAS : Ce soir, vous retournerez dans le ruisseau, vous rentrerez dans le rang des assistants contrariés, des plumitifs. C'est tout ce que ça vous rapportera. Et si par miracle, plus tard, dans une page littéraire de quartier, un chroniqueur vous évoque, ce sera pour palabrer sur les ratés, sur les scribouillards, sur les nègres...

MAQUET : Qui est nègre ?

DUMAS : Vous.

MAQUET : Qui est le plus nègre des deux, Alexandre ? Qui a du sang noir dans les veines ?

Cette allusion aux origines de Dumas claque comme un fouet. Le grand homme a tourné le dos à son collaborateur. Et l'on voit qu'il serre les dents, qu'il est atteint au plus profond de lui-même.

Qu'est-ce qui le retient après tout de se jeter sur lui et de le massacrer ?

DUMAS : Dehors ou je vous défigure.

MAQUET : Allez-y...

Mais Dumas n'en a pas la force.

Il reste immobile, debout, les bras ballants.

MAQUET : Pauvre homme.

Il sort, et le petit cabinet de travail a soudain des allures de tombeau.

Dumas est seul, face à son avenir et peut-être aussi face à son destin.

À quoi pense-t-il ?

Et si Maquet avait raison ? S'il n'était pas l'auteur, s'il n'était pas le vrai père de d'Artagnan et de Monte-Cristo ? Si demain il n'était tout simplement plus Alexandre Dumas ? Qui serait-il alors ?

Prisonnier du scandale et ayant perdu sa crédibilité, quel homme digne de ce nom oserait se présenter face au peuple et soutenir la Duchesse comme il en rêvait voici à peine une heure ? Cet homme oserait-il seulement se présenter devant ses domestiques ? Et les créanciers ne débarqueraient-ils pas les uns après les autres pour l'enfoncer plus bas encore, et faire de sa gloire passée un beau cadavre à déplumer ?

Ses pas traînent jusqu'à la cheminée, ses mains caressent la bouteille de vin comme une amie bienveillante... Quand une voiture vient s'arrêter sur le chemin.

Dumas laisse la bouteille et va épier à l'angle de la fenêtre, mais étrangement, son regard reste vague.

Lorsqu'un léger coup toque à la porte, il demeure résolument silencieux.

On vient déjà lui porter le coup de grâce ?

Deux coups encore, et la grande carcasse qui frissonne, sa voix venue d'outre-tombe qui brise le silence :

DUMAS : Maquet ?

Non, ce n'est pas Maquet. C'est le petit Maréchal des Logis qui passe timidement la tête.

MULOT : Monsieur Dumas ?

Dumas se retourne. On vient l'arrêter ou quoi ?

DUMAS : Qu'est-ce que c'est ?
MULOT : Maréchal des Logis Mulot.
DUMAS : Eh bien ?
MULOT : Vous pouvez rentrer à Paris, Monsieur Dumas.
DUMAS : Ah...

Voilà une chose qui lui était complètement sortie de la tête : Mulot, le poste de police, rentrer à Paris...

DUMAS : Vous avez trouvé une voiture ?
MULOT : Vous pouvez prendre la vôtre, on a levé les barrages.
DUMAS : Très bien. Merci.

Sa casquette à la main, Mulot s'avance à tâtons. Il a bizarrement toujours la tête de celui qui va se faire taper sur les doigts.

Mulot : C'est une catastrophe, pas vrai ?

Dumas : Mm ?

Mulot : Je n'y peux rien, Monsieur Dumas, on a été débordé. Pourtant, on les tenait bien, hein. Je sais pas ce qui s'est passé... D'un coup nos forces ont vu une meute envahir la Chambre. Ils n'ont rien pu faire. En ni une ni deux, la Duchesse avait disparu.

Le cœur de Dumas fait un bond.

Dumas : Qu'est-ce que vous dites ?

Mulot : Vous êtes pas au courant ?

Dumas : Alors c'est la République.

Mulot : Ben oui... Ils sont tous à l'Hôtel de Ville. Ça fait plus de doute maintenant, ils vont proclamer la République dans la soirée.

Dumas : Ah.

En un éclair, il s'est réveillé. Maquet avait raison !

Dumas : Vous pouvez me rendre un service ?

Mulot : Oui.

Dumas : Allez au château et demandez qu'on attelle ma voiture.

Mulot : Très bien, Monsieur Dumas.

Dumas s'active, il retrouve peu à peu sa superbe et son ton impérieux.

Mulot n'est pas peu fier d'avoir le premier révélé au grand homme l'événement qui va changer la face du pays.

Mulot : Nous voilà repartis comme en 92, hein ?

Dumas : Ça va, ça va. Faites ce que je vous ai dit.

Mulot remet sa casquette bien d'aplomb et va quitter les lieux.

Dumas : Un instant... Vous n'avez croisé personne ?

Mulot : Personne. Ah si ! Votre ami.

Dumas : Où allait-il ?

Mulot : Je sais pas. Je l'ai vu là, en bas.

Dumas : En bas ?

Boutonnant le haut de son gilet, Dumas va à la fenêtre.

Maquet serait-il encore là ? Qu'attend-il ?

Il entrouvre la persienne pour voir sans être vu.

Mulot : Bon ben... J'y vais, Monsieur Dumas.

Le petit officier salue dans le vide et disparaît dans l'escalier.

Dumas n'a pas bougé de son poste d'observation. Le temps paraît suspendu.

Et soudain il se redresse, ses bracelets clinquent, il abandonne la fenêtre et c'est comme si le chêne se redéployait sous nos yeux.

Il n'est pas surpris d'entendre des pas venir de l'escalier. Au contraire, il les compte, il les savoure un à un, jusqu'à voir Maquet apparaître, sa sacoche en mains. Digne.

Il s'échange alors entre les deux hommes comme un long dialogue silencieux où semble se décider leur destinée commune, dans *l'intérêt de chacun bien compris*.

C'est tout juste si l'on peut remarquer une légère crispation dans les mains de Maquet, et que le regard de Dumas sur lui a quelque chose de solennel, un je-ne-sais-quoi d'indéfinissable – peut-être la marque d'une connivence retrouvée.

Maquet s'avance vers le bureau. Il y pose tout naturellement sa sacoche.

DUMAS : Bien. Je rentre à Paris. Il faut qu'on me voie à l'Hôtel de Ville. Vous restez là, Maquet. Vous me rejoindrez plus tard. Vous prenez le relais sur *Monte-Cristo*. Dialogues, coupures... tout ce qui était à moi est à vous. Vous mettez ça au propre.

C'est Dumas, le vrai Dumas qui ressuscite : pragmatique et volontaire. Maquet, lui, écoute et acquiesce comme il l'a toujours fait. L'épisode orageux de tout à l'heure n'a jamais eu lieu.

La cruauté est affaire de circonstances et finalement que sont les hommes au regard de l'œuvre qu'ils bâtissent ensemble ?

Dumas se saisit de sa veste et glisse un bras dans la manche.

DUMAS : Ah ! Le journal risque d'envoyer un coursier. Demain ou après-demain. Il y aura une enveloppe à récupérer... Si vous avez le temps, faites-moi aussi un canevas de votre histoire, là, le vieillard... Une dizaine de pages. Que je me fasse une idée.

Maquet hoche la tête et l'on dirait qu'il se réjouit à la perspective de ce copieux menu. Enfermez-le seul avec de l'encre et une plume, donnez-lui de la besogne à abattre et vous pouvez être sûr que vous rendrez cet homme satisfait.

D'un pas aérien Dumas est allé au bureau pour récupérer sa déclaration. Il la met en boule et va pour la jeter à la corbeille. Mais il retient son geste.

Sait-on jamais... Maquet pourrait s'en servir contre lui un jour, le faire chanter...

Il vient d'apprendre qu'il peut s'attendre à tout. Un léger sourire aux lèvres, il glisse la boule de papier dans sa poche.

Maquet ne l'a pas quitté des yeux. Mais il se garde bien de manifester le moindre trouble.

DUMAS : Je vous laisse. Je vais me faire élire député !

Voilà, la messe est dite. Dumas s'en va, il roule déjà vers Paris, vers l'Histoire dont il n'est pas question qu'elle s'écrive sans lui. Son collaborateur restera dans l'ombre.

Mais le grand homme se tourne une dernière fois.

DUMAS : Ah ! Pour Mazarin... Vous avez raison, on l'a assez vu... Tuez-le.

Il sort enfin.

Et Maquet demeure un instant immobile comme allégé, délivré.

Il est à nouveau chez lui. Il s'avance vers la fenêtre, s'assure qu'elle est bien fermée, puis retire sa gabardine et l'accroche au portemanteau. Il remet même un peu d'ordre à la bibliothèque, ramasse les livres qui dans la bataille étaient restés au sol. Le cabinet de travail retrouve peu à peu la sérénité du début d'après-midi.

Il revient au bureau, augmente l'intensité de la lampe, défait les bretelles de sa sacoche, en extrait les liasses de feuillets qu'il dispose en ordre méticuleux devant lui. Il reste ainsi à flotter entre ce paquet-ci et ce paquet-là, entre *Bragelonne* et *Monte-Cristo*. Puis enfin il fait son choix, se saisit d'un premier feuillet, l'examine en se calant dans son fauteuil. Il pose le feuillet sur l'écritoire, prend une plume, la trempe dans l'encrier...

Sa main est suspendue au-dessus de la page. Il tire légèrement ses épaules en arrière.

Et c'est parti, ou plutôt ça recommence...

On ne voit plus de lui que ses mains qui écrivent.

LES IMPRESSIONS NOUVELLES
COLLECTION « THÉÂTRE »

Bruno Allain
Quand la viande parle

Yan Allegret
Les après-midi aveugles **suivi de**
Rachel

Jean-Marie Apostolidès
Il faut construire l'hacienda

Pascal Elbé
Pour ceux qui restent

Cyril Gely et Eric Rouquette
Signé Dumas

Stéphane Guérin
Messe basse

Katja Hunsinger
Au beau milieu de la forêt

Vincent Magos
Laïos

Natacha de Pontcharra
Mickey-la-Torche, Dancing,
L'Enfer c'est un paradis qui brûle

Élie Pressmann
Vlan ! **suivi de** *Quel temps est-il ?*
et de *Parlez-moi d'amour...*

L'Autre, ou le jardin oublié **suivi de**
De la fuite dans les idées **et de** *Alex & Bobby*

C'est toi Vincent ?
Suivi de *Le jour et la nuit* **et de**
La solitude de l'œuf avant l'omelette

La Chasse **suivi de**
Sombre Claire **et de** *Mon Émile*

Jacques Rampal
Diogène le Cynique

Jean-Loup Rivière
Jours Plissés suivi de
La Pièce du scirocco

Jean Rouaud
La Fuite en Chine

Christian Rullier
Dernières outrances

Sur Glane

Avec toute mon admiration,
suivi de *Attentat meurtrier à Paris*

Moi et Baudelaire

André Sarcq
Comme le mot neige

Nous nous dirons donc vous

La Tresse

Un crépuscule admirable - Rarogne

Jocelyne Sauvard
Mousson blues suivi de
Matèré

Philippe Touzet
C'est ma terre et c'est les miens,
suivi de *Un prince dans la nuit*

Achevé d'imprimer sur les presses de Snel - Liège (Belgique)
en décembre 2009,
ISBN 978-2-87449-086-6 - EAN 9782874490866
Dépôt légal : janvier 2010.